Street Atlas of
IPSWICH and FELIXSTOWE

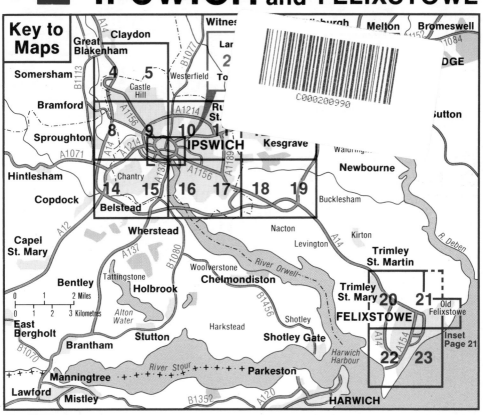

C000200990

Reference

'A' Road	A45
Under Construction	
Proposed	
'B' Road	B1077
Dual Carriageway	

One-Way Street
Traffic flow on 'A' roads is indicated by a heavy line on the drivers' left.

Pedestrianized Road	
Restricted Access	
Track	

Footpath	- - - - -
Residential Walkway	· · · · · ·
Railway	Level Crossing / Station
Built-Up Area	OPAL AV.
District Boundary	· - · - ·
Posttown Boundary	

By arrangement with the Post Office

Postcode Boundary	- - - -

Within Posttown

Map Continuation 3 / 8

Ambulance Station	⊞
Car Park Selected	P
Church or Chapel	†
Fire Station	▪
Hospital	Ⓗ
House Numbers 'A' & 'B' Roads only	4 53
Information Centre	𝐢
National Grid Reference	245
Police Station	▲
Post Office	★
Toilet	▽
With Facilities for the Disabled	🐧

Scale
1:15,840
4 inches to 1 mile

0 ... 1/4 ... 1/2 ... 3/4 Mile
0 ... 250 ... 500 ... 750 metres ... 1 Kilometre

Geographers' A-Z Map Co. Ltd.
Head Office: Fairfield Road, Borough Green, Sevenoaks, Kent, TN15 8PP Telephone 0732 781000
Showrooms: 44 Gray's Inn Road, Holborn, London, WC1X 8LR Telephone 071 242 9246
The Maps in this Atlas are based upon the Ordnance Survey 1:10,000 Maps with the permission of the Controller of Her Majesty's Stationary Office. © Crown Copyright

© 1994 Edition 1   Copyright of the Publishers

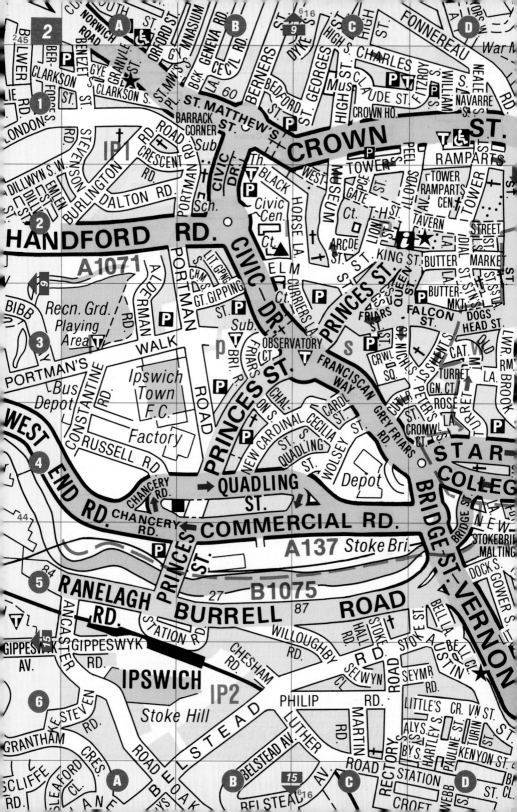

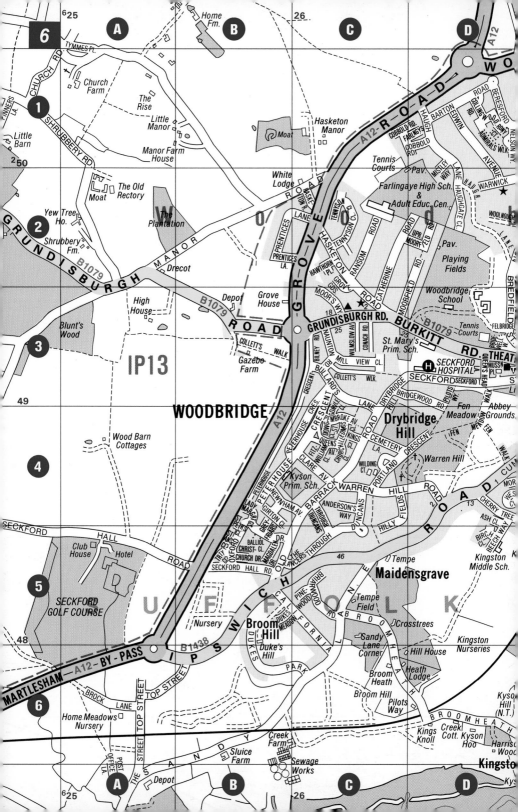

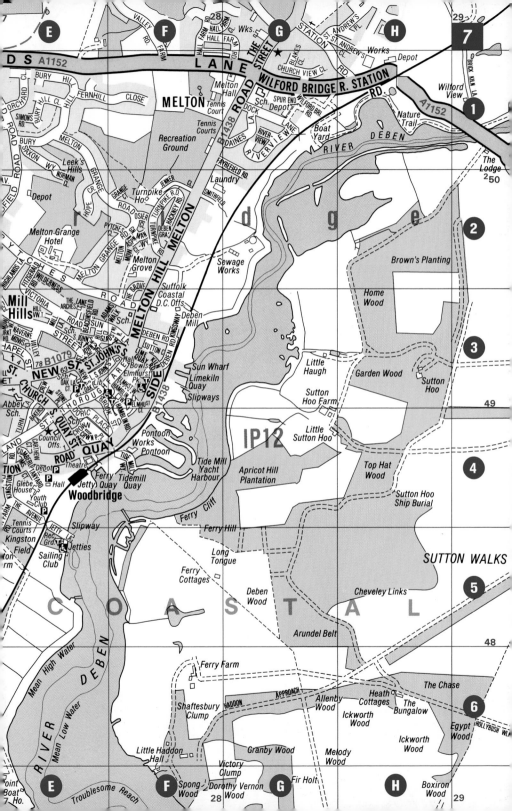

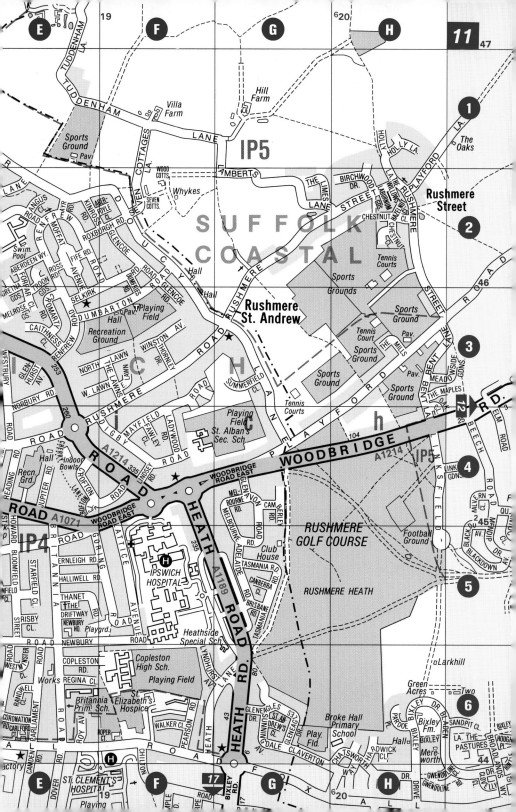

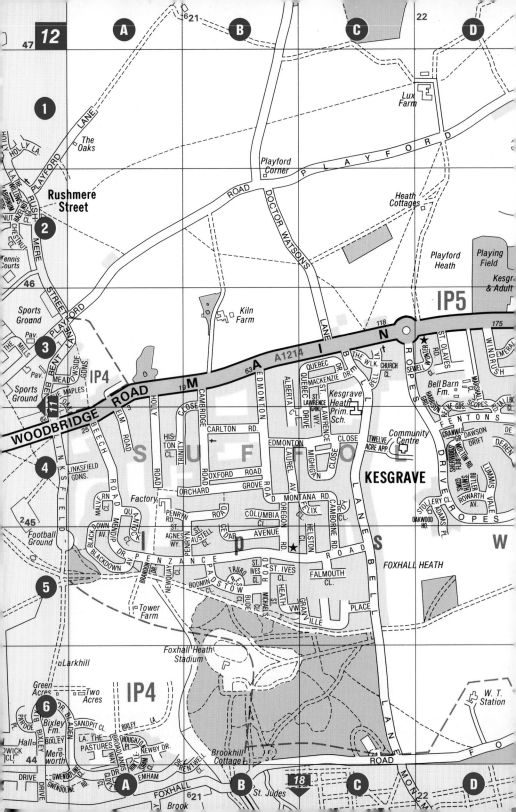

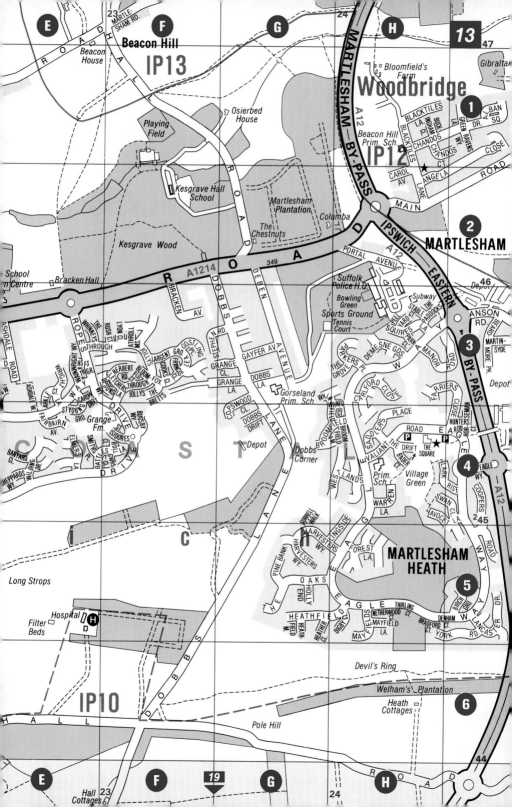

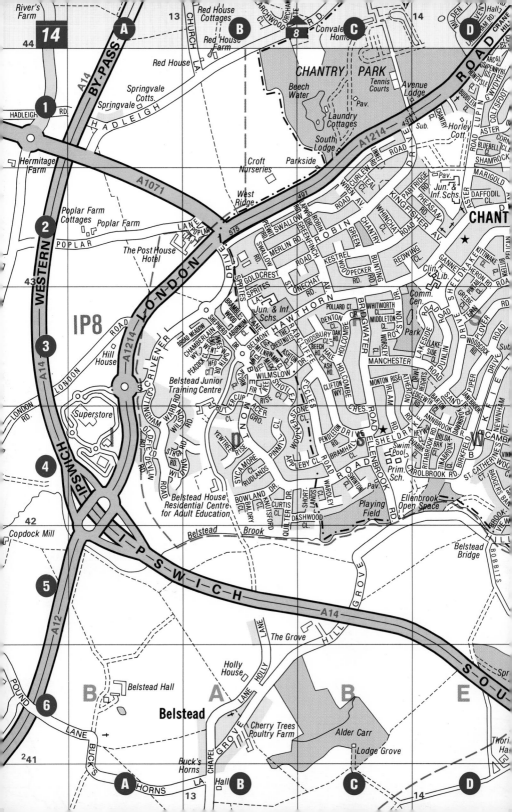

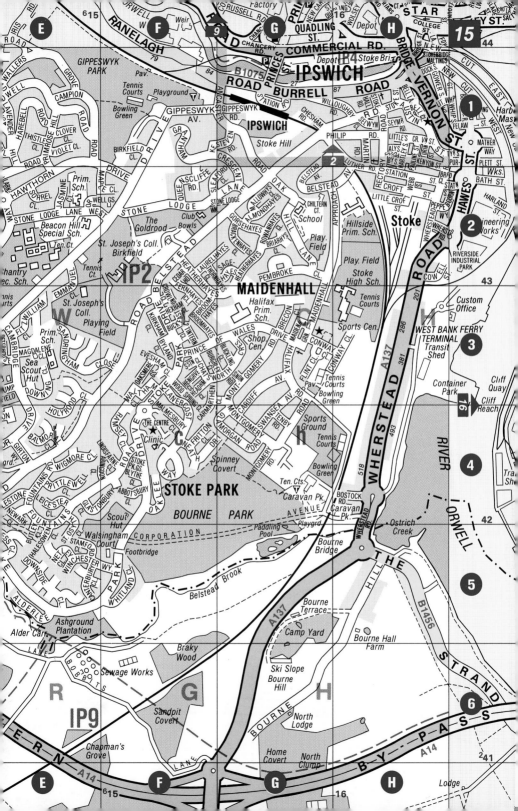

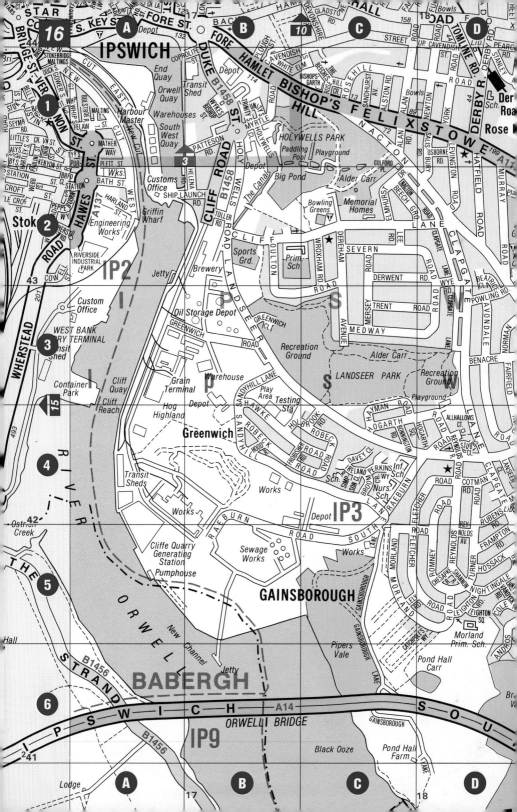

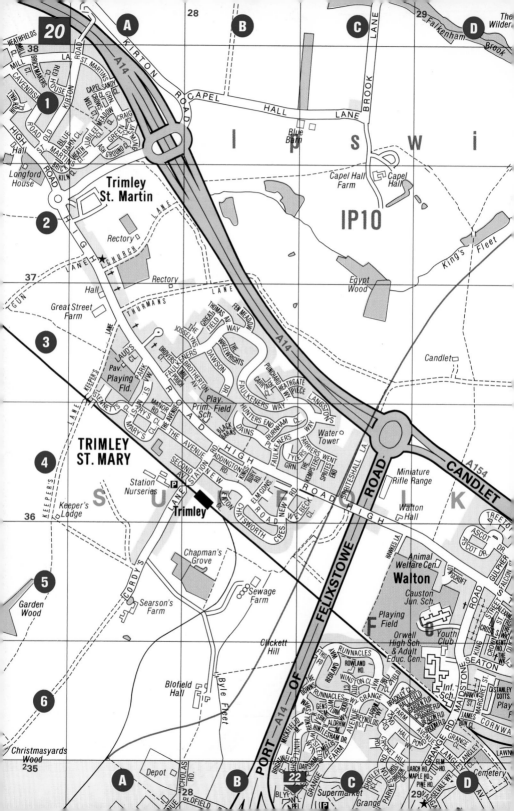

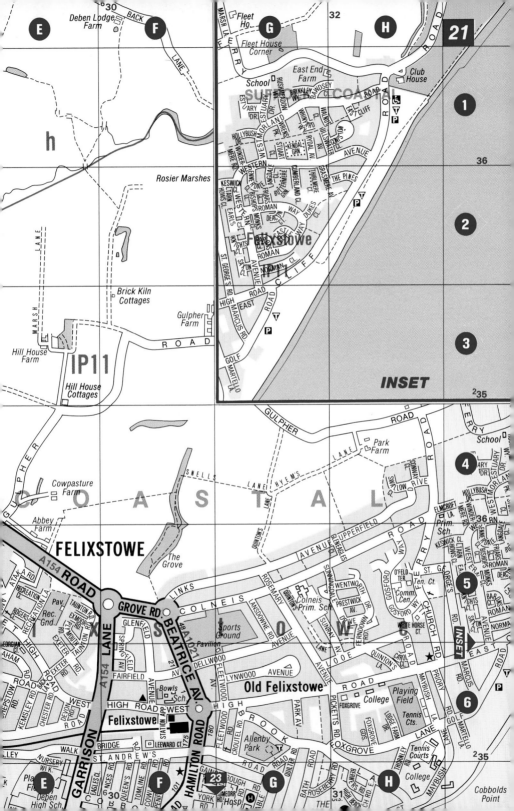

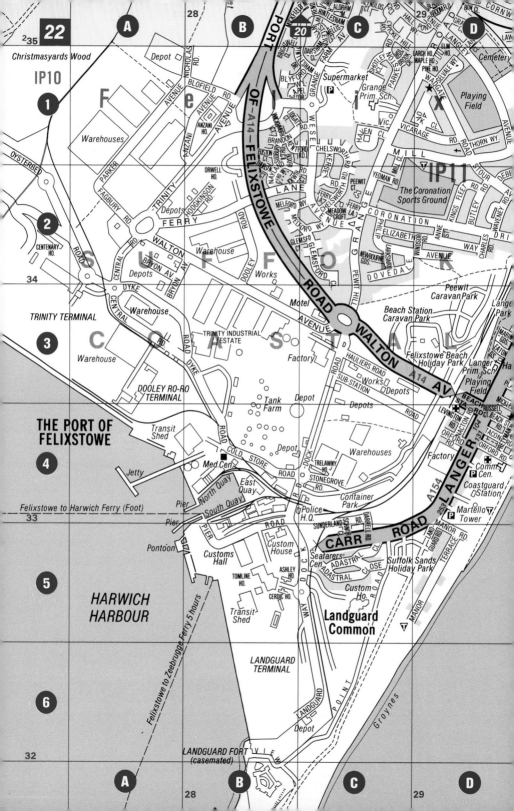

INDEX TO STREETS

HOW TO USE THIS INDEX

1. Each street name is followed by its Postal District and then by its map page reference; e.g. Abbotsbury Clo. IP2 —4F 15 is in the Ipswich 2 Postal District and it is to be found in square 4F on page 15. However, with the now general usage of Postal Coding, it is not recommended that this index be used as a means of addressing mail.

2. A strict alphabetical order is followed in which Av., Rd., St. etc. (even though abbreviated) are read in full and as part of the street name; e.g. Ashcroft Rd. appears after Ash Clo. but before Ashdale Rd.

3. Street and Subsidiary names not shown on the Maps, appear in the Index in *Italics* with the thoroughfare to which it is connected shown in brackets; e.g. *Beaufort Pl. IP1 —4F 9 (off Beaufort St.)*

GENERAL ABBREVIATIONS

All : Alley	Clo : Close	Ind : Industrial	Pl : Place
App : Approach	Comn : Common	Junct : Junction	Rd : Road
Arc : Arcade	Cotts : Cottages	La : Lane	S : South
Av : Avenue	Ct : Court	Lit : Little	Sq : Square
Bk : Back	Cres : Crescent	Lwr : Lower	Sta : Station
Boulevd : Boulevard	Dri : Drive	Mnr : Manor	St : Street
Bri : Bridge	E : East	Mans : Mansions	Ter : Terrace
B'way : Broadway	Embkmt : Embankment	Mkt : Market	Up : Upper
Bldgs : Buildings	Est : Estate	M : Mews	Vs : Villas
Bus : Business	Gdns : Gardens	Mt : Mount	Wlk : Walk
Cen : Centre	Ga : Gate	N : North	W : West
Chu : Church	Gt : Great	Pal : Palace	Yd : Yard
Chyd : Churchyard	Grn : Green	Pde : Parade	
Circ : Circle	Gro : Grove	Pk : Park	
Cir : Circus	Ho : House	Pas : Passage	

INDEX TO STREETS

Abbotsbury Clo. IP2 —4F 15
Aberdeen Way. IP4 —2E 11
Aberfoyle Clo. IP4 —2F 11
Abingdon Clo. IP2 —4F 15
Acer Gro. IP2 —4B 14
Acorn Clo. IP2 —3B 14
Acton Clo. IP8 —1A 8
Acton Gdns. IP8 —1A 8
Acton Rd. IP8 —1A 8
Adair Rd. IP1 —3C 8
Adams Pl. IP5 —4D 12
Adams Wlk. IP12 —3F 7
Adastral Clo. IP11 —5C 22
Addington Rd. IP10 —4B 20
Adelaide Rd. IP4 —5G 11
Admirals Wlk. IP12 —1D 6
Agate Clo. IP1 —2C 8
Ainslie Rd. IP1 —5F 9
Alan Rd. IP3 —1C 16
Alban Sq. IP12 —1H 13
Albany, The. IP4 —3B 10
Alberta Clo. IP5 —3B 12
Albion Hill. IP4 —4C 10
Aldercroft Clo. IP1 —6G 5
Aldercroft Rd. IP1 —1G 9
Alderlee. IP2 —5E 15
Alderman Rd. IP1 —5G 9 & 2A 2
Aldringham M. IP11 —6C 20
Alexandra Rd. IP4
       —5B 10 & 2H 3
Alexandra Rd. IP11 —5D 20
Allenby Rd. IP2 —5E 9
Allhallows Ct. IP3 —4D 16
Allington Clo. IP4 —4C 10
All Saint's Rd. IP1 —4F 9
Alma Clo. IP4 —2D 10
Almondhayes. IP2 —2G 15
Alpe St. IP1 —4G 9
Alston Rd. IP3 —1C 16
Alston's Ct. IP3 —4G 17
Ancaster Rd. IP2 —1G 15 & 5A 2
Anderson's Way. IP12 —4C 6
Andros Clo. IP3 —6D 16
Angela Clo. IP12 —2H 13
Angel La. IP4 —6A 10 & 4F 3

Angel La. IP12 —3E 7
Anglesea Rd. IP1 —4F 9
Angus Clo. IP4 —2E 11
Anita Clo. E. IP2 —6D 8
Anita Clo. W. IP2 —6D 8
Annbrook Rd. IP2 —4D 14
Anne St. IP11 —2D 22
Ann St. IP1 —4G 9
Anson Rd. IP5 —3H 13
Antrim Rd. IP1 —2C 8
Anzani Av. IP11 —1B 22
Anzani Ho. IP11 —1B 22
Appleby Clo. IP2 —4B 14
Arcade St. IP1 —5H 9 & 2C 2
Archangel Gdns. IP2 —1D 14
Arches, The. IP12 —3E 7
Argyle St. IP4 —5A 10 & 2F 3
Arkle Ct. IP5 —3E 13
Arkwright Rd. IP2 —5D 8
Arnold Clo. IP1 —6E 5
Arthur's Ter. IP4 —5B 10 & 2G 3
Arundel Way. IP3 —2G 17
Arwela Rd. IP11 —3E 23
Ascot Dri. IP3 —2E 17
Ascot Dri. IP11 —5D 20
Ash Clo. IP12 —4D 6
Ashcroft Rd. IP1 —2E 9
Ashdale Rd. IP5 —3E 13
Ashdale Wlk. IP5 —3E 13
Ashdown Way. IP3 —2G 17
Ashfield Ct. IP4 —5D 10
Ash Ground Clo. IP10 —1A 20
Ash Ho. IP2 —3C 14
Ashley Ho. IP11 —5B 22
Ashley St. IP2 —1H 15 & 6D 2
Ashmere Gro. IP4 —5C 10
Ashton Clo. IP2 —3B 14
Aspen Clo. IP12 —2F 7
Aster Rd. IP2 —2D 14
Ataka Rd. IP11 —5E 21
Atherton Rd. IP2 —3C 14
Athroll M. IP5 —3F 13
Austin St. IP2 —1H 15 & 6D 2
Avenue, The. IP1 —3H 9
Avenue, The. IP10 —4A 20

Avenue, The. IP12 —4E 7
Avocet Ct. IP11 —2D 22
Avocet La. IP5 —4H 13
Avondale Rd. IP3 —3D 16
Ayr Rd. IP4 —2E 11

Back Hamlet. IP3
       —6B 10 & 4G 3
Back La. IP6 —1B 4
Back La. IP10 —1F 21
Back La. IP11 —6E 21
Bacton Rd. IP11 —2E 23
Bader Clo. IP3 —3F 17
Bader Ct. IP5 —4H 13
Badgers Bank. IP2 —4D 14
Badsham Av. IP3 —2E 17
Bailey Clo. IP2 —5D 8
Baird Clo. IP2 —4E 9
Bakers La. IP12 —4E 7
Baldry Clo. IP2 —4B 14
Ballater Clo. IP1 —5D 4
Balliol Clo. IP12 —5B 6
Balmoral Clo. IP2 —4E 15
Bank Rd. IP4 —5B 10 & 1H 3
Bantoft Ter. IP3 —3F 17
Banyard Clo. IP5 —4E 13
Barker Clo. IP2 —6C 8
Barons Clo. IP11 —2G 21
Baronsdale Clo. IP1 —2G 9
Barrack Corner. IP1
       —5G 9 & 1B 2
Barrack La. IP1 —5G 9 & 1B 2
Bartholomew St. IP4 —5C 10
Barton Clo. IP2 —3D 14
Barton Rd. IP11 —1G 23
Barton Rd. IP12 —1D 6
Bath Hill. IP11 —1G 23
Bath Rd. IP11 —1G 23
Bath St. IP2 —2A 16
Battles La. IP5 —4E 13
Bawdsey Clo. IP11 —1G 21
Beach Rd. E. IP11 —1H 23
Beach Rd. W. IP11 —3E 23
Beach Sta. Rd. IP11 —3D 22

Beacon Field. IP11 —6D 20
Beaconsfield Rd. IP1 —4E 9
Beaconsfield Rd. IP12 —3E 7
Beardmore Pk. IP5 —3H 13
Beatrice Av. IP11 —5F 21
Beatrice Clo. IP3 —2D 16
Beatty Rd. IP3 —3E 17
Beaufort Pl. IP1 —4F 9
(off Beaufort St.)
Beaufort St. IP1 —4F 9
Bedford St. IP1 —5G 9 & 1B 2
Beech Clo. IP8 —5A 8
Beechcroft Rd. IP1 —2E 9
Beeches, The. IP3 —1C 16
Beeches, The. IP6 —1B 4
Beech Gro. IP3 —2C 16
Beech Ho. IP2 —3C 14
Beech Rd. IP5 —4A 12
Beech Way. IP12 —5D 6
Belgrave Clo. IP4 —3B 10
Bell Clo. IP2 —1H 15 & 6D 2
Bell La. IP2 —1H 15 & 5D 2
Bell La. IP5 —3C 12
Bell Vue Rd. IP4 —5B 10 & 1H 3
Belmont Rd. IP2 —3B 14
Belstead Av. IP2 —2G 15
Belstead Rd. IP2 —4D 14
Belvedere Rd. IP4 —3B 10
Benacre Rd. IP3 —3D 16
Bennett Rd. IP1 —3C 8
Bent Hill. IP11 —2F 23
Bent La. IP4 —3H 11
Benzet St. IP1 —5G 9 & 1A 2
Beresford Dri. IP12 —1D 6
Berkeley Clo. IP4 —2B 10
Bermuda Rd. IP3 —6H 17
Bernard Cres. IP3 —3E 17
Berners Rd. IP11 —1H 23
Berners St. IP1 —5G 9 & 1B 2
Berry Clo. IP3 —4A 18
Beverley Rd. IP4 —3C 10
Bibb Way. IP1 —6F 9
Bilney Rd. IP12 —3C 6
Birch Clo. IP12 —5D 6
Birchcroft Rd. IP1 —1G 9

Birch Gro. IP5 —5H 13
Birchwood Dri. IP5 —2H 11
Birkfield Clo. IP2 —1F 15
Birkfield Dri. IP2 —4D 14
Bishops Clo. IP11 —2G 21
Bishopsgarth. IP2 —1C 16
Bishop's Hill. IP3 —1B 16 & 5H 3
Bittern Clo. IP2 —2D 14
Bixley Dri. IP4 —6H 11
Bixley La. IP4 —6H 11
  (in two parts)
Bixley Rd. IP3 —2F 17
Black Barns. IP10 —4B 20
Blackdown Av. IP5 —5A 12
Blackfriars Ct. IP4
                —6A 10 & 3E 3
Black Horse La. IP1
                —5G 9 & 2B 2
Black Horse Wlk. IP1
                —5G 9 & 2B 2
  (off Black Horse La.)
Blackthorn Clo. IP3 —4H 17
Blacktiles La. IP12 —1H 13
Bladen Dri. IP4 —6A 12
Blake Rd. IP1 —6E 5
Blakes Clo. IP12 —1G 7
Blanche St. IP4 —5A 10 & 2F 3
Blandford Rd. IP2 —2G 17
Blenheim Ct. IP1 —4F 9
  (off Beaufort St.)
Blenheim Rd. IP1 —4F 9
Blickling Clo. IP2 —3G 15
Blofield Rd. IP11 —1B 22
Bloomfield Ct. IP5 —3F 13
Bloomfield St. IP4 —5E 11
Blue Barn Clo. IP10 —1A 20
Bluebell Clo. IP2 —1D 14
Bluestem Rd. IP3 —5G 17
Blyford Way. IP11 —1B 22
Blythe Clo. IP2 —4F 15
Bobbits La. IP8 & IP9 —5D 14
Bodiam Clo. IP3 —1G 17
Bodiam Rd. IP3 —1G 17
Bodmin Clo. IP5 —5B 12
Bolton La. IP4 —5A 10 & 1E 3
Bond St. IP4 —6A 10 & 3F 3
Bonnington Rd. IP3 —4C 16
Borrowdale Av. IP4 —2A 10
Boss Hall Rd. IP1 —4D 8
Bostock Rd. IP2 —4H 15
Boston Rd. IP4 —4C 10
Bourne Hill. IP2 —6G 15
Bowland Dri. IP2 —4B 14
Bowthorpe Clo. IP1 —4G 9
Boxford Ct. IP11 —1B 22
Boyton Rd. IP3 —5E 17
Bracken Av. IP5 —3F 13
Brackenbury Clo. IP1 —3G 9
Brackenhayes Clo. IP2 —2G 15
Brackley Clo. IP11 —6C 20
Bradford Ct. IP11 —1B 22
Bradley St. IP2 —1H 15 & 6C 2
Bramble Dri. IP3 —4H 17
Bramblewood. IP2 —3B 14
Bramford La. IP1 —2C 8
Bramford Rd. IP8 & IP1 —2B 8
  (Bramford)
Bramford Rd. IP8 —1A 4
  (Great Blakenham)
Bramhall Rd. IP2 —4C 14
Brandon Dri. IP5 —5A 12
Brandon Rd. IP11 —1B 22
Brazier's Wood Rd. IP3 —5E 17
Brecon Clo. IP2 —3G 15
Bredfield Clo. IP11 —6C 20
Bredfield Rd. IP12 —1D 6
Bredfield St. IP12 —2D 6
Bretts, The. IP5 —3F 13

Briarhayes Clo. IP2 —2G 15
Briarwood Rd. IP12 —5C 6
Brickfield Clo. IP2 —2H 15
Brick Kiln Clo. IP10 —2A 20
Brick Kiln La. IP12 —1H 7
Brickmakers Ct. IP10 —1A 20
Bridewell Wlk. IP12 —3D 6
Bridge Rd. IP11 —6F 21
Bridge St. IP1 —6H 9 & 4D 2
Bridgewood Rd. IP12 —3C 6
Bridgwater Rd. IP2 —3C 14
Bridle Way. IP1 —3H 9
Bridport Av. IP3 —2G 17
Brightwell Clo. IP11 —1B 22
Brinkley Way. IP11 —1G 21
Brisbane Rd. IP4 —5G 11
Bristol Rd. IP4 —4D 10
Britannia Rd. IP4 —5E 11
Broadlands Way. IP4 —6A 12
Broad Meadow. IP2 —3B 14
Broadmere Rd. IP1 —3D 8
Broadway La. IP1 —1D 8
Brock La. IP2 —6A 6
Brockley Cres. IP1 —2C 8
Broke Av. IP8 —1A 8
Bromeswell Rd. IP4 —2B 10
Brookfield Rd. IP1 —3E 9
Brookhill Way. IP4 —1A 18
Brookhouse Bus. Pk. IP2 —5E 9
Brook La. IP10 —1C 20
Brook La. IP11 —6G 21
Brooks Hall Rd. IP1 —4F 9
Brook St. IP12 —3E 7
Brookview. IP2 —4D 14
Broom Cres. IP3 —4C 16
Broomfield. IP5 —4G 13
Broom Field. IP11 —6D 20
Broomfield Comn. IP8 —5A 8
Broomfield M. IP5 —4H 13
Broomhayes. IP2 —3F 15
Broomheath. IP12 —5C 6
Broom Hill Rd. IP1 —3F 9
Brotherton Av. IP10 —3B 20
Broughton Rd. IP1 —4G 9
Browning Rd. IP1 —6E 5
Brownlow Rd. IP11 —1G 23
Brunel Rd. IP2 —5D 8
Brunswick Rd. IP4 —3C 10
Bryon Av. IP11 —2A 22
Buckfast Clo. IP2 —3F 15
Buckingham Clo. IP12 —1H 13
Bucklesham Rd. IP3 & IP10
                —3G 17
Buck's Horns La. IP8 —6A 14
Buddleia Clo. IP2 —1D 14
Bude Clo. IP5 —5B 12
Bugsby Way. IP5 —4F 13
Bullard's La. IP12 —1G 7
Bull's Cliff. IP11 —2E 23
Bulstrode Rd. IP2
                —1A 16 & 5E 3
Bulwer Rd. IP1 —4F 9
Bunns Cotts. IP4 —5A 10 & 2F 3
  (off Arthur's Ter.)
Bunting Rd. IP2 —2C 14
Bunyan Clo. IP1 —6F 5
Buregate Rd. IP11 —3E 23
Burghley Clo. IP2 —3F 15
Burke Clo. IP1 —6F 5
Burke Rd. IP1 —6E 5
Burkitt Ho. IP12 —3E 7
Burkitt Rd. IP12 —3D 6
Burlington Rd. IP1
                —5G 9 & 2A 2
Burnham Clo. IP4 —5C 10
Burnham Clo. IP10 —4B 20
Burns Rd. IP1 —6D 4
Burrell Rd. IP2 —1G 15 & 5B 2

Bury Hill. IP12 —1E 7
Bury Hill Clo. IP12 —1E 7
Bury Rd. IP1 —5C 4
Bushman Gdns. IP8 —1A 8
Butler Smith Gdns. IP5 —4D 12
Butley Clo. IP2 —5E 15
Butley Rd. IP11 —2D 22
Buttercup Clo. IP2 —4B 14
Butter Mkt. IP1 —5H 9 & 2D 2
  (in two parts)
Buttermere Grn. IP11 —2G 21
Byland Clo. IP2 —3F 15
Byron Rd. IP1 —5D 4

Cage La. IP11 —6D 20
Caithness Clo. IP4 —3E 11
California. IP12 —5B 6
Camberley Rd. IP4 —4G 11
Camborne Rd. IP5 —4C 12
Cambridge Dri. IP2 —4D 14
Cambridge Rd. IP5 —3B 12
Cambridge Rd. IP11 —1G 23
Camden Rd. IP3 —1E 17
Campbell Rd. IP3 —3F 17
Campion Rd. IP2 —1E 15
Canberra Clo. IP4 —5G 11
Candlet Rd. IP11 —1G 23
Canham St. IP1 —5G 9 & 2B 2
Canterbury Clo. IP2 —5E 15
Capel Clo. IP4 —1A 20
Capel Dri. IP11 —1B 22
Capel Hall La. IP10 —1B 20
Cardew Drift. IP3 —3E 13
Cardiff Av. IP2 —4G 15
Cardigan St. IP1 —4G 9
Cardinals Ct. IP11 —2F 23
Cardinal St. IP1 —6H 9 & 4C 2
Carlford Clo. IP5 —3H 13
Carlford Ct. IP4 —6E 11
Carlow M. IP12 —3E 7
Carlton Rd. IP5 —4B 12
Carlton Way. IP4 —3B 10
Carlyle Clo. IP1 —5E 5
Carmarthen Clo. IP2 —4F 15
Carol Av. IP12 —2H 13
Carolbrook Rd. IP2 —4D 14
Carol Clo. IP11 —6H 21
Carriage Clo. IP10 —3B 20
Carr Point. IP4 —5A 10 & 2E 3
Carr Rd. IP11 —5C 22
Carr St. IP4 —5A 10 & 2E 3
Carthew Ct. IP12 —4E 7
Castle Clo. IP11 —2G 21
Castle Rd. IP1 —2D 8
Castle St. IP12 —2D 6
Catchpole's Way. IP3 —5C 16
Catherine Rd. IP12 —3C 6
Cauldron Av. IP4 —5C 10
Cauldwell Hall Rd. IP4 —4D 10
Cavan Rd. IP1 —1C 8
Cavendish Rd. IP10 —1A 20
Cavendish Rd. IP11 —2E 23
Cavendish St. IP3
                —1B 16 & 5H 3
Cecilia St. IP1 —6H 9 & 4C 2
Cecil Rd. IP1 —5G 9 & 1B 2
Cedar Av. IP5 —5B 12
Cedarcroft Rd. IP1 —1E 9
Cedar Ho. IP2 —2F 15
Cemetery La. IP4 —3B 10
Cemetery La. IP12 —4C 6
Cemetery Rd. IP4
                —5A 10 & 1F 3
Centenary Ho. IP11 —2A 22
Central Av. IP3 —5G 17
Central Rd. IP11 —2A 22
Centre, The. IP2 —4F 15

Cerdic Ho. IP11 —5B 22
Chalon St. IP1 —6G 9 & 3B 2
Chamberlain Way. IP2 —3B 14
Chancery Rd. IP1 —6G 9 & 4A 2
Chandos Ct. IP12 —1H 13
Chandos Dri. IP12 —1H 13
Chantry Clo. IP2 —1D 14
Chantry Grn. IP2 —2C 14
Chapel Field. IP8 —1A 8
Chapel La. IP8 —6B 14
  (Belstead)
Chapel La. IP8 —1A 4
  (Great Blakenham)
Chapel St. IP12 —3E 7
Charles Rd. IP11 —2D 22
Charles St. IP1 —5H 9 & 1C 2
Charlton Av. IP1 —1E 9
Chartwell Clo. IP4 —6D 10
Chatsworth Cres. IP2 —3F 15
Chatsworth Cres. IP10 —4B 20
Chatsworth Dri. IP4 —6H 11
Chaucer Rd. IP1 —6E 5
Chaucer Rd. IP11 —2E 23
Chelsea Clo. IP1 —2E 9
Chelsworth Av. IP4 —2A 10
Chelsworth Rd. IP11 —1C 22
Cheltenham Av. IP1 —2G 9
Chepstow Rd. IP1 —5G 5
Chepstow Rd. IP11 —6E 21
Cherry La. IP4 —4E 11
Cherry Tree Rd. IP12 —4D 6
Chesapeake Rd. IP3 —5D 16
Chesham Rd. IP2
                —1G 15 & 6B 2
Chessington Gdns. IP1 —3E 9
Chesterfield Dri. IP1 —1E 9
Chester Rd. IP11 —6E 21
Chesterton Clo. IP2 —3D 14
Chestnut Clo. IP5 —2H 11
Chestnut Dri. IP6 —1B 4
Chestnuts, The. IP2 —3B 14
Chevalier Rd. IP11 —1G 23
Chevallier St. IP1 —4F 9
Chiltern Ct. IP2 —2G 15
Chilton Rd. IP3 —6F 11
Christchurch Dri. IP12 —5B 6
Christchurch St. IP4 —4A 10
Church Clo. IP5 —3C 12
Church Clo. IP10 —4H 19
Church Cres. IP8 —5A 8
Church Grn. IP8 —2A 8
Churchill Av. IP4 —6D 10
Churchill Clo. IP12 —4C 6
Church La. IP6 —1B 4
Church La. IP8 —5A 8
  (in two parts)
Church La. IP10 —2A 20
Church La. IP10 —4H 19
  (Bucklesham)
Church La. IP11 —5D 20
  (Trimley St Mary)
Church Rd. IP11 —5H 21
Church Rd. IP13 —1A 6
Church St. IP12 —3E 7
Church View Clo. IP12 —1G 7
Civic Dri. IP1 —5G 9 & 2B 2
Clapgate La. IP3 —2D 16
Clare Av. IP12 —4C 6
Clarence Rd. IP3 —4E 17
Clare Rd. IP4 —3C 10
Clarkson St. IP1 —5F 9
Claude St. IP1 —5H 9 & 1C 2
Claverton Way. IP4 —6G 11
Clench Clo. IP4 —5A 10 & 2F 3
Cliff La. IP3 —2B 16
Clifford Rd. IP4 —6C 10
Cliff Rd. IP3 —2B 16
Cliff Rd. IP11 —2G 21

Clifton Way. IP2 —3C 14
Clive Av. IP1 —1G 9
Clovelly Clo. IP4 —1A 18
Clover Clo. IP2 —1E 15
Clump Field. IP2 —3E 15
Coachmans Ct. IP4 —6H 9 & 3D 2
(off Turret La.)
Cobbold Rd. IP11 —1F 23
Cobbold Rd. IP12 —1C 6
Cobbold St. IP4 —5A 10 & 1E 3
Cobden Pl. IP4 —5A 10 & 2E 3
Cobham Rd. IP3 —2F 17
Cody Rd. IP3 —4F 17
Colbourne Ct. IP11 —1F 23
(off Orwell Rd.)
Colbourne Ct. IP11 —1F 23
(off Ranelagh Rd.)
Colchester Rd. IP4 —2C 10
Cold Store Rd. IP11 —4B 22
Cole Ness Rd. IP3 —5D 16
Coleridge Rd. IP1 —6E 5
College St. IP4 —6H 9 & 4D 2
Collett's Wlk. IP12 —3B 6
Collimer Ct. IP11 —5D 20
Collingwood Av. IP3 —3E 17
Collingwood Rd. IP12 —1D 6
Collinsons. IP2 —6C 8
Colneis Rd. IP11 —5F 21
Coltsfoot Rd. IP2 —1D 14
Columbia Clo. IP5 —4B 12
Columbine Gdns. IP2 —6D 8
Commercial Rd. IP1
—1G 15 & 5B 2
Conach Rd. IP12 —3C 6
Congreve Rd. IP1 —6F 5
Coniston Clo. IP11 —1H 21
Coniston Rd. IP3 —3E 17
Coniston Sq. E. IP3 —3E 17
Coniston Sq. W. IP3 —3E 17
Connaught Rd. IP1 —2C 8
Constable Rd. IP4 —4A 10
Constable Rd. IP11 —1G 23
Constantine Rd. IP1
—6G 9 & 4A 2
Constitution Hill. IP11 —2F 23
Convalescent Hill. IP11 —2F 23
Conway Clo. IP2 —3G 15
Conway Clo. IP11 —4H 21
Cooks Clo. IP5 —3F 13
Coopers Rd. IP5 —4H 13
Copleston Rd. IP4 —6E 11
Copperfield Rd. IP2 —6D 8
Coprolite St. IP3 —1A 16 & 5F 3
Copswood Clo. IP5 —4G 13
Coral Dri. IP1 —2C 8
Corder Rd. IP4 —3A 10
Cordy's La. IP10 —5A 20
Cornflower Clo. IP2 —1D 14
Cornhill. IP1 —5H 9 & 2C 2
(off Westgate St.)
Cornwall Rd. IP11 —6D 20
Coronation Dri. IP11 —2C 22
Coronation Rd. IP4 —6E 11
Corporation Av. IP2 —5F 15
Corton Rd. IP3 —4E 17
Cotman Rd. IP3 —4D 16
Cotswold Av. IP1 —2C 8
Cottage Pl. IP1 —5G 9 & 1B 2
(off Gymnasium St.)
Cottingham Rd. IP2 —3A 14
Cowell St. IP2 —2H 15
Cowley Rd. IP11 —1F 23
Cowper St. IP4 —5E 11
Cowslip Clo. IP2 —1E 15
Cox La. IP4 —6A 10 & 3E 3
Coytes Gdns. IP1 —6H 9 & 3C 2
Crabbe St. IP4 —5D 10
Craig Clo. IP10 —1A 20

Crane Hill. IP2 —6D 8
Cranfield Ct. IP4 —2B 10
Cranwell Cres. IP3 —4F 17
Cranwell Gro. IP5 —4D 12
Crescent Rd. IP1 —5G 9 & 1A 2
Crescent Rd. IP11 —1E 23
Cricket Hill Rd. IP11 —6C 20
Crocus Clo. IP2 —1E 15
Crofton Clo. IP4 —4E 11
Crofton Rd. IP4 —4E 11
Croft St. IP2 —2H 15
Cromarty Rd. IP4 —3E 11
Cromer Rd. IP1 —3E 9
Crompton Rd. IP2 —4E 9
Cromwell Ct. IP1 —6H 9 & 4D 2
Cromwell Sq. IP1 —6H 9 & 3C 2
Crossgate Field. IP11 —6D 20
Crossley Gdns. IP1 —1B 8
Cross St. IP11 —5D 20
Croutell Rd. IP11 —6G 21
Crowland Clo. IP2 —3F 15
Crown Ho. IP1 —5H 9 & 1C 2
Crown Pl. IP12 —4E 7
Crown St. IP1 —5H 9 & 1C 2
Crown St. IP11 —6D 20
Crowswell Ct. IP10 —1A 20
Cuckfield Av. IP3 —2H 17
Culford Wlk. IP11 —2B 22
Cullingham Rd. IP1 —5F 9
Cumberland Clo. IP11 —2G 21
Cumberland M. IP12 —4E 7
Cumberland St. IP1 —4G 9
Cumberland St. IP12 —4D 6
Cumberland Tower. IP1 —4F 9
(off Norwich Rd.)
Curlew Rd. IP2 —2C 14
Curriers La. IP1 —6H 9 & 3C 2
Curtis Clo. IP2 —4B 14
Cutler St. IP1 —6H 9 & 4C 2

Daffodil Clo. IP2 —2D 14
Daimler Rd. IP1 —1B 8
Daines La. IP12 —1G 7
Dains Pl. IP10 —4B 20
Dale Hall La. IP1 —1G 9
Dales Rd. IP1 —2E 9
Dales View Rd. IP1 —3F 9
Dalton Rd. IP1 —5G 9 & 2A 2
Dandalan Clo. IP1 —3D 8
Darrell Rd. IP11 —4C 22
Darsham Clo. IP11 —1C 22
Darwin Rd. IP4 —6C 10
Dashwood Clo. IP2 —4C 14
Daunby Clo. IP2 —6C 8
Davey Clo. IP3 —4C 16
Dawnbrook Clo. IP2 —4D 14
Dawson Drift. IP5 —4D 12
Dawson Dri. IP10 —3B 20
Deacon Ct. IP11 —2G 21
Deben Av. IP5 —2G 13
Deben Grange. IP12 —2F 7
Deben Rd. IP1 —2E 9
Deben Rd. IP12 —3F 7
Deben Valley Dri. IP5 —4D 12
Deben Way. IP11 —2D 22
Dedham Pl. IP4 —6A 10 & 3F 3
Defoe Rd. IP1 —5E 5
Dellwood Av. IP11 —6F 21
Demesne Gdns. IP5 —3H 13
Denham Ct. IP5 —5H 13
Denton Clo. IP2 —3C 14
Derby Clo. IP4 —6D 10
Derby Rd. IP3 —1D 16
Dereham Av. IP3 —2C 16
Derwent Rd. IP3 —2C 16
Devlin Rd. IP2 —4A 14
Devon Rd. IP11 —6E 21

Devonshire Rd. IP3 —6C 10
Dewar La. IP5 —4D 12
Dial La. IP1 —5H 9 & 2D 2
Diamond Clo. IP1 —2C 8
Dickens Rd. IP2 —5D 8
Didsbury Clo. IP2 —3C 14
Digby Clo. IP5 —5H 13
Digby Rd. IP4 —4F 11
Dillwyn St. IP1 —5F 9
Dillwyn St. W. IP1 —5F 9
Dinsdale Ct. IP11 —2E 23
Dobbs Drift. IP5 —4G 13
Dobbs La. IP5 —3G 13
Dock La. IP12 —1G 7
Dock Rd. IP11 —5C 22
Dock St. IP2 —1H 15 & 5D 2
Doctor Watson's La. IP5 —2B 12
Dogs Head St. IP4
—6H 9 & 3D 2
Dombey Rd. IP2 —6D 8
Donegal Rd. IP1 —1C 8
Dooley Rd. IP11 —2B 22
Dorchester Rd. IP3 —2G 17
Doric Pl. IP12 —4E 7
Dorset Clo. IP4 —2C 10
Dovedale. IP11 —2C 22
Dover Rd. IP3 —1E 17
Dove St. IP4 —6B 10 & 3G 3
Downing Clo. IP2 —3E 15
Downing Clo. IP12 —4C 6
Downside Clo. IP2 —5E 15
Downs, The. IP11 —6C 20
Drake Av. IP3 —3E 17
Drake Sq. N. IP3 —3E 17
Drake Sq. S. IP3 —3E 17
Drift, The. IP3 —4F 17
Drift, The. IP4 —5D 10
Drift, The. IP5 —4H 13
Driftway, The. IP4 —5E 11
Drovers Ct. IP10 —3A 20
Drury Rd. IP6 —1B 4
Drybridge Hill. IP12 —3C 6
Dryden Rd. IP1 —6F 5
Duckamere. IP8 —2A 8
Dukes Clo. IP11 —2G 21
Dukes Meadow. IP12 —5B 6
Dukes Pk. IP12 —5B 6
Duke St. IP3 —1B 16 & 5G 3
Dumbarton Rd. IP4 —3E 11
Dumfries Rd. IP4 —2F 11
Dunlin Rd. IP2 —3D 14
Dunlop Rd. IP2 —5E 9
Dunwich Ct. IP1 —3D 8
Dyke Rd. IP11 —3A 22
Dyke St. IP1 —4H 9

Eagles Clo. IP11 —1E 23
Eagle St. IP4 —6A 10 & 3E 3
Eagle Way. IP5 —5H 13
Earls Clo. IP11 —2G 21
Eastcliff. IP11 —1H 21
E. Lawn. IP4 —3F 11
Eastway Bus. Pk. IP1 —4C 8
Eaton Clo. IP10 —4B 20
Eaton Gdns. IP11 —3D 22
Eccles Rd. IP2 —3C 14
Eden Rd. IP4 —6E 11
Edgeworth Rd. IP2 —3D 14
Edinburgh Gdns. IP6 —1B 4
Edmonton Rd. IP5 —4B 12
Edmonton Rd. IP5 —3B 12
Edward Clo. IP1 —3E 9
Edwin Av. IP12 —1D 6
Egglestone Clo. IP2 —4E 15
Elizabeth Way. IP11 —2C 22
Ellenbrook Rd. IP2 —4C 14
Elliott St. IP1 —5F 9

Elm Ct. IP4 —6A 10 & 3F 3
Elmcroft La. IP11 —4H 21
Elmcroft Rd. IP1 —1E 9
Elmers La. IP5 —4E 13
Elm Gdns. IP10 —4B 20
Elm Ho. IP11 —1D 22
Elmhurst Ct. IP12 —3F 7
Elmhurst Dri. IP3 —2C 16
Elmhurst Wlk. IP12 —3F 7
Elm Rd. IP5 —4A 12
Elm St. IP1 —5G 9 & 2B 2
Elsmere Rd. IP1 —3H 9
Elton Pk. IP2 —5C 8
Elton Pk. Ind. Est. IP2 —5D 8
Ely Rd. IP4 —2C 10
Emerald Clo. IP5 —3D 12
Emlen St. IP1 —5F 9
Emmanuel Clo. IP2 —3E 15
Ennerdale Clo. IP11 —2G 21
Epsom Dri. IP1 —5F 5
Ernleigh Rd. IP4 —5E 11
Essex Way. IP3 —4H 17
Estuary Dri. IP11 —1G 21
Europa Way. IP1 —3C 8
Eustace Rd. IP1 —3D 8
Euston Ct. IP1 —1B 22
Evabrook Clo. IP2 —4D 14
Everton Cres. IP1 —2E 9
Evesham Clo. IP2 —3F 15
Exeter Rd. IP3 —1E 17
Exeter Rd. IP11 —6E 21
Exmoor Rd. IP11 —5E 21

Fagbury Rd. IP11 —2A 22
Fairbairn Av. IP5 —4E 13
Fairfield Av. IP11 —6F 21
Fairfield Rd. IP3 —3D 16
Fairlight Clo. IP4 —2D 10
Falcon St. IP1 —6H 9 & 3D 2
Falcon St. IP11 —5D 20
Falmouth Clo. IP5 —5C 12
Faraday Rd. IP4 —6C 10
Farlingayes. IP12 —1D 6
Farriers Clo. IP5 —3H 13
Farriers Went. IP10 —4C 22
Farthing Rd. IP1 —4B 8
Faulkeners Way. IP10 —3A 20
Fawley Clo. IP4 —4F 11
Fayrefield Rd. IP12 —1G 7
Feathers Field. IP11 —6C 20
Felaw St. IP2 —1A 16 & 6E 3
Felbridge Ct. IP12 —3D 6
Felix Clo. IP5 —4C 12
Felix Rd. IP3 —4E 17
Felix Rd. IP11 —1G 23
Felix Sq. IP3 —4E 17
Felixstowe Rd. IP3 & IP10
—1C 16
Fen Meadow. IP10 —3B 20
Fen Meadow Wlk. IP12 —4D 6
Fentons Way. IP5 —4D 12
Fen Wlk. IP12 —4D 6
Ferndown Rd. IP11 —5H 21
Fernhayes Clo. IP2 —3F 15
Fernhill Clo. IP12 —1E 7
Ferry La. IP11 —2A 22
Ferry Rd. IP11 —5H 21
Field View. IP10 —5H 19
Fife Rd. IP4 —2E 11
Finbars Wlk. IP4 —6B 10 & 3H 3
Finchley Rd. IP4 —6B 10 & 1G 3
Fircroft Rd. IP1 —1F 9
Fir Tree Rise. IP2 —3B 14
Fishbane Clo. IP3 —5D 16
Fisk's La. IP1 —6C 4
Fitzgerald Clo. IP4 —6D 10
Fitzgerald Rd. IP8 —2A 8

Fitzgerald Rd. IP12 —2E 7
Fitzmaurice Rd. IP3 —2E 17
Fitzroy St. IP1 —5H 9 & 1D 2
Fitzwilliam Clo. IP2 —3E 15
Fitzwilliam Clo. IP12 —4C 6
Fleetwood Av. IP11 —6G 21
Fleetwood Rd. IP11 —6G 21
Fletcher Rd. IP3 —5C 16
Fletchers La. IP5 —3F 13
Flindell Dri. IP8 —1A 8
Flint Clo. IP2 —3G 15
Foden Av. IP1 —1B 8
Fonnereau Rd. IP1 —4H 9
Fore Hamlet. IP3 —6B 10 & 4G 3
Forest Ct. IP4 —4D 10
Forest La. IP5 —5H 13
Fore St. IP4 —6A 10 & 3E 3
Forfar Clo. IP4 —2E 11
Forge Clo. IP10 —4H 19
Foundation St. IP4
—6A 10 & 4E 3
Foundry La. IP3 —6H 9 & 4D 2
Fountains Rd. IP2 —4E 15
Foxglove Cres. IP3 —4H 17
Foxgrove. IP11 —6H 21
Foxgrove Gdns. IP11 —6H 21
Foxgrove La. IP11 —6H 21
Foxhall Rd. IP3, IP4 & IP10
—6C 10
Fox Lea. IP5 —3F 13
Foxtail Rd. IP3 —5G 17
Framlingham Ct. IP1 —3F 9
Frampton Rd. IP3 —5D 16
Franciscan Way. IP1
—6H 9 & 3C 2
Francis Clo. IP5 —3F 13
Franklin Rd. IP3 —3E 17
Fraser Rd. IP1 —4E 9
Fraser Rd. IP8 —6A 4
Freehold Rd. IP4 —5D 10
Friars Bri. Rd. IP1 —6G 9 & 3B 2
Friars Clo. IP2 —1G 21
Friars Courtyard. IP1
—6G 9 & 3B 2
(off Friars Bri. Rd.)
Friars St. IP1 —6H 9 & 3C 2
Fritton Clo. IP2 —4F 15
Frobisher Rd. IP3 —4B 16
Fuchsia Rd. IP4 —6D 10
Furness Clo. IP2 —5E 15

Gainsborough La. IP3 —5C 16
Gainsborough Rd. IP4 —3A 10
Gainsborough Rd. IP11 —1F 23
Galway Av. IP1 —2D 8
Gannet Rd. IP2 —2D 14
Garden Field. IP11 —6D 20
Garfield Clo. IP11 —2E 23
Garfield Rd. IP11 —2E 23
Garrick Way. IP1 —6F 5
Garrison La. IP11 —2E 23
Gatacre Rd. IP1 —4F 9
Gaye St. IP1 —5G 9 & 1A 2
Gayfer Av. IP5 —3G 13
Generals M. IP11 —6C 20
Geneva Rd. IP1 —5G 9 & 1B 2
Georgian Ct. IP11 —6E 21
Geralds Av. IP4 —6D 10
Gibbon St. IP1 —5F 9
Giles Ct. IP6 —1B 4
Gippeswyk Av. IP2 —1F 15
Gippeswyk Rd. IP2
—1G 15 & 6A 2
Gipping Way. IP8 —1A 8
(Bramford)
Gipping Way. IP8 —5A 8
(Sproughton)

Girton Clo. IP12 —4B 6
Girton Way. IP2 —4E 15
Gladstone Rd. IP3 —6C 10
Gladstone Rd. IP12 —3E 7
Glamorgan Rd. IP2 —4G 15
Glastonbury Clo. IP2 —4E 15
Glebe Clo. IP8 —5A 8
Glemham Dri. IP4 —1A 18
Glemsford Clo. IP11 —2C 22
Glemsford Ct. IP11 —2B 22
Glenavon Rd. IP4 —4G 11
Glencoe Rd. IP4 —2F 11
Gleneagles Clo. IP11 —5H 21
Gleneagles Dri. IP4 —6G 11
Glenfield Av. IP11 —5F 21
Glenhurst Av. IP4 —3E 11
Gloucester Ho. IP11 —6D 20
(off Walk, The)
Gloucester Rd. IP3 —3D 16
Gobbitts Yd. IP12 —4E 7
(off Thoroughfare)
Godbold Clo. IP5 —4E 13
Goddard Rd. IP1 —6B 4
Goddard Rd. E. IP1 —6C 4
Goldcrest Rd. IP2 —2B 14
Goldsmith Rd. IP1 —6D 4
Golf Rd. IP11 —3G 21
Gonville Clo. IP12 —4C 6
Goodwood Clo. IP1 —5G 5
Gordon Rd. IP4 —4D 10
Goring Rd. IP4 —5E 11
Gorsehayes. IP2 —2G 15
Gorse Rd. IP3 —3E 17
Gosford Way. IP11 —5H 21
Gostling Pl. IP5 —3F 13
Gowers Clo. IP5 —4F 13
Gower St. IP2 —1H 15 & 5D 2
Goyfield Av. IP11 —1E 23
Graham Av. IP1 —3G 9
Graham Rd. IP1 —4F 9
Graham Rd. IP11 —6E 21
Grange Clo. IP5 —3G 13
Grange Clo. IP11 —6D 20
Grange Ct. IP12 —2F 7
Grange Farm Av. IP11 —1C 22
Grange La. IP5 —3G 13
Grange Rd. IP4 —5B 10 & 2H 3
Grange Rd. IP11 —2C 22
Grantham Cres. IP2 —1F 15
Granville Pl. IP5 —5C 12
Granville Rd. IP11 —2E 23
Granville St. IP1 —5G 9 & 1A 2
Grasmere Av. IP11 —2G 21
Grasmere Clo. IP3 —5E 17
Gt. Colman St. IP4
—5A 10 & 2E 3
Gt. Field. IP10 —3B 20
Gt. Gipping St. IP1
—6G 9 & 3B 2
Gt. Whip St. IP2 —1A 16 & 5E 3
Grebe Clo. IP2 —3D 14
Green Cres. IP10 —5H 19
Green Dri. IP10 —5F 19
Greene, The. IP4 —1A 18
Greenfinch Av. IP2 —2C 14
Green La. IP12 —1H 13
Green Man Way. IP12 —2F 7
Greenways Clo. IP1 —3G 9
Greenwich Clo. IP3 —3B 16
Greenwich Rd. IP3 —3A 16
Gretna Gdns. IP4 —3E 11
Greyfriars. IP12 —5B 6
Grey Friars Rd. IP1
—6H 9 & 4C 2
Grimwade St. IP4
—6A 10 & 3F 3
Grosvenor Clo. IP4 —3B 10
Grove Cotts. IP1 —1H 9

Grove Gdns. IP12 —2C 6
Grove Hill. IP8 —6B 14
Grove La. IP4 —6B 10 & 3H 3
Grove Rd. IP11 —5F 21
Grove Rd. IP12 —3C 6
Grove, The. IP1 —1H 9
Grove, The. IP5 —3H 13
Grove, The. IP12 —3F 7
Grundisburgh Rd. IP13 & IP12
—2A 6
Guilford Pl. IP3 —1C 16
Gulpher Rd. IP11 —5D 20
Gun La. IP10 —3A 20
Gwendoline Clo. IP4 —1H 17
Gwendoline Rd. IP4 —1H 17
Gwydir Rd. IP2 —1D 14
Gymnasium St. IP1
—5G 9 & 1A 2

Hackney Rd. IP12 —2F 7
Haddon App. IP12 —6G 7
Hadleigh Rd. IP8 & IP2 —1A 14
(in two parts)
Hale Clo. IP2 —3C 14
Halesowen Clo. IP2 —5E 15
Halford Ct. IP2 —3B 14
Halifax Rd. IP2 —3G 15
Hall Farm Clo. IP12 —1F 7
Hall Farm Rd. IP12 —1F 7
Hall Field. IP11 —6C 20
Halliwell Rd. IP4 —5E 11
Hall La. IP6 —1D 4
Hall Pond Way. IP11 —6C 20
Hall Rd. IP13 & IP12 —1F 13
Halton Cres. IP3 —4F 17
Hamblin Rd. IP12 —4F 7
Hamblin Wlk. IP12 —3F 7
Hamilton Gdns. IP11 —2F 23
Hamilton Rd. IP3 —2E 17
Hamilton Rd. IP11 —1F 23
Hamilton St. IP11 —6D 20
Hampton Rd. IP1 —4E 9
Handford Cut. IP1 —5F 9
Handford Rd. IP1 —5F 9
Hanover Ct. IP4 —5B 10 & 1G 3
Hardwick Clo. IP4 —6H 11
Hardy Cres. IP1 —5E 5
Harebell Rd. IP2 —1E 15
Harland St. IP2 —2A 16
Harrison Gro. IP5 —3D 12
Harrow Clo. IP4 —6D 10
Hartley St. IP2 —1H 15 & 6D 2
Harvest Ct. IP11 —1G 23
(off Cobbold Rd.)
Harvesters Way. IP5 —5G 13
Hasketon Rd. IP12 —2C 6
(in two parts)
Haslemere Dri. IP4 —4B 10
Hatfield Rd. IP3 —1D 16
Hatton Ct. IP1 —5H 9 & 2D 2
(off Tavern St.)
Haughgate Clo. IP12 —2D 6
Haugh La. IP12 —1D 6
Hauliers Rd. IP11 —3C 22
Haven Clo. IP11 —1C 22
Havens, The. IP3 —6H 17
Hawes St. IP2 —2A 16
Hawke Rd. IP3 —4B 16
Hawkes La. IP11 —5C 20
Hawthorn Dri. IP2 —3B 14
Hawthorn Pl. IP12 —2C 6
Hayhill Rd. IP4 —4B 10
Hayman Rd. IP3 —4C 16
Haywards Fields. IP5 —3E 13
Hazelcroft Rd. IP1 —1F 9
Hazel Dri. IP3 —4H 17
Hazelnut Clo. IP5 —2H 11

Hazlitt Rd. IP1 —6F 5
Headingham Clo. IP2 —3F 15
Heath Ct. IP10 —1A 20
Heather Av. IP3 —2F 17
Heather Clo. IP5 —5G 13
Heathercroft Rd. IP1 —6F 5
Heatherhayes. IP2 —2F 15
Heathfield. IP5 —5G 13
Heathfield M. IP5 —5G 13
Heathfields. IP10 —1A 20
Heathgate Piece. IP10 —3B 20
Heathland Retreat Caravan Pk. IP4
—1H 17
Heathlands Pk. IP4 —1H 17
Heath La. IP4 —6F 11
Heath Rd. IP4 —4F 11
Heath View. IP5 —5B 12
Helena Rd. IP3 —2B 16 & 6G 3
Helston Clo. IP5 —5C 12
Henderson Clo. IP8 —2A 8
Hengrave Clo. IP2 —3F 15
Henley Ct. IP1 —3H 9
Henley Rd. IP1 & IP6 —5G 5
Henniker Rd. IP1 —3B 8
Henry Rd. IP3 —4E 17
Henslow Rd. IP4 —6E 11
Henstead Gdns. IP3 —3D 16
Herbert Rd. IP5 —5D 12
Hermitage, The. IP11 —1H 23
(off Undercliff Rd. E.)
Heron Rd. IP2 —2D 14
Hervey St. IP4 —4A 10
Hexham Clo. IP2 —3F 15
Heywood Clo. IP2 —4D 14
Hibbard Rd. IP8 —1B 8
High Beach. IP11 —1H 23
Highfield App. IP1 —2E 9
Highfield Rd. IP1 —1D 8
Highfield Rd. IP11 —1F 23
High Hall Clo. IP10 —1A 20
Highlands La. IP12 —2E 7
High Rd. IP10 —1A 20
High Rd. E. IP11 —6G 21
High Rd. W. IP11 —6E 21
High St. Felixstowe, IP11 —4C 20
High St. Ipswich, IP1
—5H 9 & 1C 2
High St. Sproughton, IP8 —5A 8
High View Rd. IP1 —2C 8
Hildabrook Clo. IP2 —4D 14
Hillary Clo. IP4 —6D 10
Hillcrest App. IP8 —1A 8
Hillhouse Rd. IP3
—6B 10 & 4H 3
Hillside Cres. IP3 —2E 17
Hill View Ter. IP12 —3E 7
Hilly Fields. IP12 —4C 6
Hilton Rd. IP3 —4F 17
Hintlesham Rd. IP4 —6A 12
Hintlesham Dri. IP11 —6C 20
Histon Clo. IP5 —4A 12
Hockney Gdns. IP3 —5D 16
Hodgkinson Rd. IP11 —2B 22
Hogarth Rd. IP3 —4C 16
Hogarth Sq. IP3 —4D 16
Holbrook Cres. IP11 —1C 22
Holbrook Rd. IP3 —4B 16
Holcombe Cres. IP2 —3C 14
Holland Rd. IP4 —5C 10
Holland Rd. IP11 —2E 23
Hollybush Dri. IP11 —1G 21
Hollybush Wlk. IP12 —6H 7
Hollycroft Clo. IP1 —6F 5
Holly End. IP5 —5G 13
Holly La. IP5 —1H 11
Holly La. IP8 —6B 14
Holly Rd. IP1 —4G 9
Holly Rd. IP5 —3A 12

Holyrood Clo. IP2 —4E 15
Holywells Clo. IP3
　　　—1B 16 & 6H 3
Holy Wells Rd. IP3
　　　—1B 16 & 6G 3
Homeorr Ho. IP11 —1G 23
Homer Clo. IP1 —5E 5
Honeysuckle Clo. IP2 —1D 14
Hood Rd. IP3 —4B 16
Hope Cres. IP12 —2E 7
Horseman Ct. IP5 —4H 13
Horsham Av. IP3 —2G 17
Hossack Rd. IP3 —5D 16
Houghton Pl. IP4 —6A 12
House Martins, The. IP11 —5E 21
　(off Cage La.)
Howard St. IP4 —4E 11
Howe Av. IP3 —2F 17
Hulver Ct. IP3 —3E 17
Hunters End. IP10 —4B 20
Hunters Rd. IP5 —4H 13
Hutland Rd. IP4 —4C 10
Hyem's La. IP11 —4G 21
Hyntle Clo. IP2 —6D 8

Ickworth Ct. IP11 —2B 22
Innes End. IP2 —3B 14
Inverness Rd. IP4 —1D 10
Ipswich Eastern By-Pass. IP10
　　& IP5 —5F 19
Ipswich Rd. IP6 —1B 4
Ipswich Rd. IP12 —6B 6
Ipswich Southern By-Pass. IP8,
　　IP9 & IP3—5A 14
Ipswich Western By-Pass. IP8
　　　—4A 14
Ireland Rd. IP3 —4C 16
Iris Rd. IP2 —6E 9
Irlam Rd. IP2 —3C 14
Ivry St. IP1 —4G 9

James Boden Clo. IP11 —6D 20
Janebrook Rd. IP2 —3D 14
Jasmine Clo. IP2 —2E 15
Jasmine Clo. IP10 —1A 20
Jefferies Rd. IP4 —5B 10 & 2G 3
Jenner Clo. IP12 —2F 7
Jetty La. IP12 —4E 7
Jewell View. IP5 —4E 13
Josselyns, The. IP10 —3B 20
Jubilee Clo. IP10 —1A 20
June Av. IP1 —1G 9
Jupiter Rd. IP4 —4E 11

Karen Clo. IP1 —2G 9
Keats Cres. IP1 —6E 5
Keeper's La. IP10 —4A 20
Kelly Rd. IP2 —6D 8
Kelvin Rd. IP1 —2E 9
Kemball St. IP4 —6D 10
Kempsters, The. IP10 —4C 20
Kempton Clo. IP1 —6G 5
Kempton Rd. IP1 —6F 5
Kemsley Rd. IP1 —6E 21
Kendal Grn. IP11 —1G 21
Kennedy Clo. IP4 —5D 10
Kennels Rd. IP10 —3D 18
Kensington Rd. IP1 —3F 9
Kentford Rd. IP1 —1F 9
Kent Ho. IP11 —5D 20
Kenyon St. IP2 —1H 15 & 6D 2
Kerry Av. IP1 —1C 8
Kersey Rd. IP11 —1C 22
Kesteven Rd. IP2
　　　—1G 15 & 6A 2

Kestrel Rd. IP2 —2C 14
Keswick Clo. IP11 —2G 21
Key St. IP4 —6A 10 & 4E 3
Khartoum Rd. IP4 —4C 10
Kildare Av. IP1 —1C 8
King Edward Rd. IP3 —2E 17
Kingfisher Av. IP2 —2C 14
Kings Av. IP4 —6B 10 & 3H 3
Kingsbury Rd. IP10 —4B 20
Kings Clo. IP12 —4C 6
Kingsfield Av. IP1 —3H 9
Kings Fleet Rd. IP11 —2D 22
Kingsgate Dri. IP4 —3C 10
Kingsley Clo. IP1 —6F 5
Kingston Farm Rd. IP12 —5D 6
Kingston Rd. IP1 —3E 9
Kingston Rd. IP12 —4E 7
King St. IP1 —5H 9 & 2C 2
King St. IP11 —6D 20
King's Way. IP3 —3E 17
Kingsway. IP12 —3F 7
Kinross Rd. IP4 —2E 11
Kipling Rd. IP1 —6E 5
Kirby Clo. IP4 —4D 10
Kirby St. IP4 —4D 10
Kirkham Clo. IP2 —3F 15
Kirton Rd. IP10 —1A 20
Kitchener Rd. IP1 —3E 9
Kittiwake Clo. IP2 —2D 14
Knights Clo. IP11 —2G 21
Knightsdale Rd. IP1 —2F 9
Knutsford Clo. IP2 —4B 14

Laburnum Clo. IP2 —3B 14
Laburnum Gdns. IP5 —2H 11
Lacey St. IP4 —5B 10 & 1G 3
Lachlan Grn. IP12 —1D 6
　(off Cobbold Rd.)
Lacon Rd. IP8 —1A 8
Lady La. IP1 —5G 9 & 1B 2
　(off St Matthew's St.)
Lady Margaret Gdns. IP12 —4B 6
Ladywood Rd. IP4 —4F 11
Lakeside Clo. IP2 —3D 14
Lakeside Rd. IP2 —3D 14
Lamberts La. IP5 —2G 11
Lambourne Rd. IP1 —5G 5
Lanark Rd. IP4 —2E 11
Lancaster Ho. IP11 —6D 20
　(off Walk, The)
Lancaster Rd. IP4
　　　—5B 10 & 2G 3
Lancaster Way. IP6 —1B 4
Lancers, The. IP12 —5C 6
Lancing Av. IP4 —3D 10
Landguard Ct. IP11 —4D 22
Landguard Rd. IP11 —5D 22
Landguard Way. IP11 —6C 22
Landseer Rd. IP3 —2B 16
Lanercost Way. IP2 —3F 15
Langdale Clo. IP11 —2G 21
Langer Rd. IP11 —4D 22
Langley Av. IP11 —6D 20
Langley Clo. IP11 —6D 20
Langstons. IP10 —3C 20
Lansdowne Rd. IP4 —6D 10
Lansdowne Rd. IP11 —5G 21
Lanseer Clo. IP3 —4D 16
Lapwing Rd. IP2 —2C 14
Larchcroft Clo. IP1 —1G 9
Larchcroft Rd. IP1 —1F 9
Larch Ho. IP11 —1D 22
Larchwood Clo. IP2 —6B 8
Largent Gro. IP5 —3F 13
Larkhill Way. IP11 —6C 20
Lark Rise. IP5 —4H 13
Larkspur Rd. IP2 —2E 15

Larksway. IP11 —2C 22
Lattice Av. IP4 —5F 11
Laud's Clo. IP10 —3A 20
Laurel Av. IP5 —4B 12
Laurelhayes. IP2 —2F 15
Lavender Hill. IP2 —1E 15
Lavenham Rd. IP2 —6D 8
Lawns, The. IP4 —3F 11
Lawn Way. IP11 —6D 20
Lee Rd. IP3 —2C 16
Leeward Ct. IP11 —6F 21
Leggatt Dri. IP8 —1A 8
Leicester Clo. IP2 —4E 15
Leighton Rd. IP3 —5D 16
Leighton Sq. IP3 —5D 16
Lely Rd. IP3 —5C 16
Leopold Gdns. IP4 —3E 11
Leopold Rd. IP4 —3D 10
Leopold Rd. IP11 —1F 23
Leslie Rd. IP3 —4F 17
Levington La. IP10 —6H 19
Levington Rd. IP3 —1D 16
Levington Rd. IP11 —4D 22
Lewes Clo. IP3 —2H 17
Lidgate Ct. IP11 —1B 22
Limecroft Clo. IP1 —6F 5
Limekiln Clo. IP6 —1B 4
Lime Kiln Quay Rd. IP12 —3F 7
Limerick Clo. IP1 —1D 8
Limes Av. IP8 —1B 8
Limes, The. IP5 —2G 11
Lincoln Clo. IP1 —6G 5
Lincoln Ter. IP11 —2E 23
Lindbergh Rd. IP3 —4F 17
Lindisfarne Clo. IP2 —4F 15
Lindsey Rd. IP4 —4F 11
Lingfield Rd. IP1 —5G 5
Lingside. IP5 —5H 13
Links Av. IP11 —5F 21
Linksfield. IP5 —4H 11
Linksfield Gdns. IP5 —5A 12
Linnet Rd. IP2 —1C 14
Lion St. IP1 —5H 9 & 2C 2
Lister Rd. IP1 —2E 9
Lit. Croft St. IP2 —2H 15
Lit. Gipping St. IP1
　　　—5G 9 & 2B 2
Lit. St John's St. IP12 —3E 7
Little's Cres. IP2 —1H 15 & 6D 2
Lit. Whip St. IP2 —1H 15 & 5D 2
Lloyds Av. IP1 —5H 9 & 2D 2
Locarno Rd. IP3 —2E 17
Lockwood Clo. IP12 —3E 7
Lodge Farm Dri. IP11 —6H 21
Lodge La. IP8 —1A 4
London Rd. IP2 & IP1 —3A 14
Lone Barn Ct. IP1 —3C 8
Longcroft. IP11 —5D 20
Long St. IP4 —6B 10 & 4G 3
Lonsdale Clo. IP4 —4C 10
Looe Rd. IP11 —6H 21
Lovetofts Dri. IP1 —2C 8
　(in two parts)
Lwr. Brook St. IP4
　　　—6H 9 & 3D 2
Lwr. Dales View Rd. IP1 —3F 9
Lwr. Orwell St. IP4
　　　—6A 10 & 4E 3
Lower Rd. IP6 —4H 5
Lower St. IP8 —4A 8
Lowry Gdns. IP3 —5D 16
Ludlow Clo. IP1 —5G 5
Lulworth Av. IP3 —2G 17
Lumms Vale. IP5 —4D 12
Lupin Rd. IP2 —1D 14
Luther Rd. IP2 —1H 15 & 6C 2
Lyndhurst Av. IP4 —6F 11
Lynwood Av. IP11 —6G 21

Lyon Clo. IP5 —3F 13

Macaulay Rd. IP1 —5E 5
Mackenzie Dri. IP5 —3C 12
Magdalen Dri. IP12 —5B 6
Magdalene Clo. IP2 —3G 15
Maidenhall App. IP2 —3G 15
Maidenhall Grn. IP2 —3G 15
Maidstone Rd. IP11 —6D 20
Main Rd. IP5 —3B 12
Main Rd. IP12 —2H 13
Mais Ct. IP2 —3E 15
Major's Corner. IP4
　　　—5A 10 & 2E 3
Mallard Way. IP2 —3D 14
Mallowhayes Clo. IP2 —2G 15
Malmesbury Clo. IP2 —4F 15
Malting Ter. IP2 —1A 16 & 6E 3
Malvern Clo. IP3 —2E 17
Malvern Clo. IP5 —4A 12
Manchester Rd. IP2 —3C 14
Mandy Clo. IP4 —5D 10
Manning Rd. IP11 —3E 23
Manor Rd. IP4 —3A 10
Manor Rd. IP5 —3H 13
Manor Rd. IP10 —4A 20
Manor Rd. IP11 —5D 22
Manor Rd. IP13 —2A 6
Manor Ter. IP11 —5D 22
Mansfield Av. IP1 —1E 9
Manthorp Clo. IP2 —1F 7
Manwick Rd. IP11 —3E 23
Maple Clo. IP2 —2F 15
Maple Ho. IP11 —1D 22
Maples, The. IP4 —3H 11
Marcus Rd. IP11 —3G 21
Margaret St. IP11 —6D 20
Margate Rd. IP3 —2E 17
Marigold Av. IP2 —2D 14
Marina Gdns. IP11 —3D 22
Maritime Ct. IP4 —6A 10 & 4E 3
Market Hill. IP12 —3D 6
Marlborough Rd. IP4 —6C 10
Marlow Rd. IP1 —2C 8
Marshall Clo. IP5 —3D 12
Marsh La. IP11 —3E 21
Marsh La. IP11 —3E 21
Martello La. IP11 —3G 21
Martin Rd. IP2 —1H 15 & 6C 2
Martlesham By-Pass. IP12 —6A 6
Martlesham Rd. IP13 —1F 13
Maryon Rd. IP3 —5E 17
Mather Way. IP2 —1A 16 & 6E 3
Matlock Clo. IP2 —3B 14
Matson Rd. IP1 —3E 9
Maudslay Rd. IP1 —1B 8
Maybury Rd. IP3 —4E 17
Maybush La. IP11 —6H 21
Maycroft Clo. IP1 —6F 5
Mayfield La. IP5 —5H 13
Mayfield Rd. IP4 —4F 11
Mayfields. IP5 —5H 13
Mayors Av. IP1 —3H 9
Mayors Wlk. IP1 —4H 9
May Rd. IP3 —3F 17
Mays Ct. IP11 —2E 23
Meadow Clo. IP10 —1A 20
Meadow Croft. IP11 —2C 22
Meadowside Gdns. IP4 —3H 11
Meadowvale Clo. IP4 —4C 10
Medway Rd. IP3 —3C 16
Melbourne Rd. IP4 —4G 11
Melford Way. IP11 —2B 22
Mellick Rd. IP3 —5H 17
Mellis Ct. IP11 —6C 20
Melplash Clo. IP3 —1H 17
Melplash Rd. IP3 —1H 17

Melrose Gdns. IP4 —3E 11
Melton Grange Rd. IP12 —1E 7
Melton Hill. IP12 —3F 7
Melton Meadow. IP12 —2F 7
Melton Rd. IP12 —2F 7
Melville Rd. IP4 —6C 10
Mendip Dri. IP5 —5A 12
Meredith Rd. IP1 —1D 8
Merlin Rd. IP2 —2B 14
Merrion Clo. IP2 —3B 14
Mersey Rd. IP3 —3C 16
Mews Ct. IP11 —1D 22
  (off Grange Rd.)
Michigan Clo. IP5 —4C 12
Mickfield M. IP11 —6B 20
Micklegate Rd. IP11 —3D 22
Middleton Clo. IP2 —3C 14
Milden Rd. IP2 —6D 8
Mildmay Rd. IP3 —4D 16
Mill Clo. IP10 —1A 20
Mill Clo. IP11 —2C 22
Mill Field. IP8 —1A 8
Mill La. IP8 —1A 8
Mill La. IP10 —1A 20
Mill La. IP11 —1C 22
Mill La. IP12 —3E 7
Mill Pouch. IP10 —3A 20
Mill Rd. Dri. IP3 —4A 18
Mills, The. IP4 —3H 11
Mill View Clo. IP12 —3C 6
Milner St. IP4 —6B 10 & 3G 3
Milnrow. IP2 —3B 14
Milton St. IP4 —4E 11
Mistley Way. IP12 —2D 6
Mitford Clo. IP1 —5F 5
Moat Farm Clo. IP4 —3C 10
Moffat Av. IP4 —2E 11
Monks Clo. IP11 —2G 21
Monks Ga. IP4 —5A 8
Montague Rd. IP11 —1G 23
Montana Rd. IP5 —4B 12
Montgomery Rd. IP2 —3G 15
Monton Rise. IP2 —3C 14
Monument Farm Rd. IP10
  —1C 18
Moore Rd. IP1 —6E 5
Moorfield Clo. IP5 —3E 13
Moorfield Rd. IP12 —3C 6
Moor's Way. IP12 —3C 6
Morgan Ct. IP6 —1B 4
Morland Rd. IP3 —5C 16
Morley Av. IP12 —4D 6
Mornington Av. IP1 —2E 9
Mottram Rd. IP2 —3B 14
Mountbatten Ct. IP1 —4F 9
  (off Prospect Rd.)
Mount Dri. IP3 —4A 18
Mumford Rd. IP1 —3C 8
Munnings Clo. IP3 —5E 17
Murray Rd. IP3 —2D 16
Murrills Rd. IP3 —4H 17
Museum St. IP1 —5H 9 & 2C 2
Mussiden Pl. IP12 —3D 6
Myrtle Rd. IP3 —1B 16 & 6H 3

Nacton Cres. IP3 —3E 17
Nacton Rd. IP3 —1C 16
Nacton Rd. IP11 —4D 22
Nansen Rd. IP3 —3E 17
Nash Gdns. IP3 —5E 17
Naunton Rd. IP2 —6D 8
Navarre St. IP1 —5H 9 & 1D 2
Naverne Meadows. IP12 —3E 7
Nayland Rd. IP1 —3C 8
Neale St. IP1 —5H 9 & 1D 2
Neath Dri. IP2 —4F 15
Nelson Rd. IP4 —4D 10

Nelson Way. IP12 —1D 6
Netherwood Ct. IP5 —5H 13
Netley Clo. IP2 —5E 15
Newark Clo. IP2 —4E 15
Newbourne Gdns. IP11 —2C 22
Newbury Ho. IP4 —5E 11
Newbury Rd. IP4 —5E 11
Newby Dri. IP4 —6A 12
New Cardinal St. IP1
  —6G 9 & 4B 2
New Cut E. IP3 —6H 9 & 4D 2
New Cut W. IP2 —1A 16 & 5E 3
Newell Rise. IP6 —1B 4
Newnham Av. IP12 —4B 6
Newnham Ct. IP2 —4D 14
Newquay Clo. IP5 —5A 12
New Rd. IP2 —4B 20
Newry Av. IP11 —1E 23
Newson St. IP1 —4G 9
New St. IP4 —6A 10 & 4F 3
New St. IP12 —3E 7
Newton Rd. IP3 —1D 16
Newton St. IP4 —5A 10 & 2F 3
Nicholas Rd. IP11 —1B 22
Nightingale Rd. IP3 —5D 16
Nightingale Sq. IP3 —5D 16
Nine Acres. IP2 —5C 8
Norbury Rd. IP4 —3E 11
Norfolk Rd. IP4 —5A 10 & 1F 3
Norman Clo. IP11 —2G 21
Norman Clo. IP12 —2E 7
Norman Cres. IP3 —3D 16
North Clo. IP4 —3B 10
Northgate St. IP1 —5H 9 & 2D 2
North Hill. IP12 —2D 6
N. Hill Gdns. IP4 —5B 10 & 1H 3
N. Hill Rd. IP4 —5B 10 & 1H 3
N. Lawn. IP4 —3E 11
Norwich Ct. IP1 —4F 9
Norwich Rd. IP1 —6D 4
Norwich Rd. IP6 —1B 4
Nottidge Rd. IP4 —5B 10 & 2H 3
Nursery Wlk. IP11 —6E 21

Oak Clo. IP4 —3H 11
Oak Clo. IP11 —1D 22
Oak Hill La. IP2 —2G 15
Oak Ho. IP2 —3C 14
Oak La. IP1 —5H 9 & 2D 2
  (off Northgate St.)
Oak La. IP12 —3E 7
Oak La. Ct. IP12 —3E 7
Oaklee. IP2 —4F 15
Oaksmere Gdns. IP2 —3F 15
Oakstead Clo. IP4 —5D 10
Oaks, The. IP5 —5G 13
Oakwood Ho. IP5 —4D 12
Oban St. IP1 —4G 9
Observatory Ct. IP1
  —6G 9 & 3B 2
O'Feld Ter. IP11 —5H 21
Old Barrack Rd. IP12 —5B 6
Old Cattle Mkt. IP4
  —6H 9 & 3D 2
Oldfield Rd. IP2 —4A 14
Old Foundry Rd. IP4
  —5A 10 & 2E 3
Old Kirton Rd. IP10 —1A 20
Old Norwich Rd. IP1 —3C 4
Old Paper Mill La. IP6 —1B 4
Olympus Clo. IP1 —6C 4
Onehouse La. IP1 —2G 9
Opal Av. IP1 —2C 8
Oppingstone Rd. IP8 —2A 8
Orchard Clo. IP12 —1E 7
Orchard Ga. IP2 —6B 8
Orchard Gro. IP5 —4B 12

Orchard Gro. IP6 —2B 4
Orchard St. IP4 —5A 10 & 2F 3
Orchid Clo. IP2 —1D 14
Oregon Rd. IP5 —4B 12
Orford Rd. IP11 —4D 22
Orford St. IP1 —4G 9
Orkney Rd. IP4 —2D 10
Orwell Gdns. IP2 —2E 15
Orwell Heights. IP2 —3D 14
Orwell Ho. IP11 —2B 22
Orwell Pl. IP4 —6A 10 & 3E 3
Orwell Rd. IP3 —1D 16
Orwell Rd. IP11 —2E 23
Osborne Rd. IP3 —1D 16
Osier Clo. IP12 —2F 7
Otley Ct. IP11 —6C 20
Oulton Rd. IP3 —2B 16
Oxford Dri. IP12 —5B 6
Oxford Rd. IP4 —6B 10 & 3G 3
Oxford Rd. IP5 —4B 12
Oysterbed Rd. IP10 & IP11
  —1A 22

Packard Av. IP3 —3E 17
Packard Pl. IP8 —1A 8
Paddocks, The. IP5 —3H 13
Padstow Rd. IP5 —5B 12
Paget Rd. IP1 —4G 9
Palmcroft Clo. IP1 —6F 5
Palmcroft Rd. IP1 —6F 5
Palmerston Rd. IP4
  —5B 10 & 2G 3
Pampas Rd. IP3 —5H 17
Paper Mill La. IP8 & IP6 —4A 4
Parade Rd. IP4 —4C 10
Pardoe Pl. IP4 —6H 11
Park Av. IP11 —6G 21
Park Clo. IP5 —3H 13
Park Ct. IP11 —3D 22
Parker Av. IP11 —2A 22
Parkers Pl. IP5 —3H 13
Parkeston Rd. IP11 —1C 22
Park N. IP4 —3A 10
Park Rd. IP1 —3H 9
Parkside Av. IP4 —4A 10
Park View. IP10 —3A 20
Park View Rd. IP1 —2F 9
Parliament Rd. IP4 —6E 11
Parnell Clo. IP1 —6E 5
Parnell Rd. IP1 —6E 5
Partridge Rd. IP2 —2C 14
Pastures, The. IP4 —6A 12
Patteson Rd. IP3 —1B 16 & 6G 3
Pauline St. IP2 —1H 15 & 6D 2
Paul's Rd. IP2 —6E 9
Pauls Tenements. IP2
  (off Felaw St.) —1A 16 & 6E 3
Peacock Clo. IP2 —3B 14
Pearce Rd. IP3 —6D 10
Pearcroft Rd. IP1 —6G 5
Pearl Rd. IP1 —3C 8
Pearse Way. IP3 —4H 17
Pearson Rd. IP3 —6F 11
Peel St. IP1 —5H 9 & 1C 2
Peel Yd. IP1 —5H 13
Peewit Clo. IP11 —2C 22
Peewit Rd. IP2 —2B 14
Pelican Clo. IP2 —2D 14
Pembroke Av. IP12 —4C 6
Pembroke Clo. IP2 —2G 15
Pendleton Rd. IP2 —4C 14
Penfold Rd. IP11 —1F 23
Penny La. IP3 —4A 18
Pennyroyal Gdns. IP2 —1D 14
Penryn Rd. IP5 —5B 12
Penshurst Rd. IP3 —1G 17
Penzance Rd. IP5 —5A 12

Peppercorn Way. IP2 —2H 15
Perkins Way. IP3 —4C 16
Peterhouse Clo. IP2 —3E 15
Peterhouse Cres. IP12 —4B 6
Pewit Hill. IP11 —2C 22
Pheasant Rd. IP2 —2D 14
Philip Av. IP11 —2C 22
Philip Rd. IP2 —1H 15 & 6C 2
Phoenix Rd. IP4 —4D 10
Picketts Rd. IP11 —6H 21
Pickwick Rd. IP2 —6D 8
Picton Av. IP1 —2A 10
Pier Rd. IP11 —5B 22
Pilots Way. IP12 —3D 6
Pimpernel Rd. IP2 —2D 14
Pine Av. IP1 —2G 9
Pine Bank. IP5 —5G 13
Pinecroft Rd. IP1 —1F 9
Pine Ho. IP11 —1D 22
Pines, The. IP11 —2H 21
Pine View Rd. IP1 —2F 9
Pinewood. IP2 —5C 6
Pinmill Clo. IP2 —4B 14
Pinners La. IP13 —1A 6
Pintail Clo. IP2 —3D 14
Piper Ct. IP4 —5A 10 & 2E 3
Pitcairn Rd. IP1 —3D 8
Platters Clo. IP3 —6E 17
Platters Rd. IP11 —3D 22
Playford La. IP5 —2H 11
Playford Rd. IP4, IP5 & IP13
  —4G 11
Pleasant Row. IP4
  —6A 10 & 4E 3
Plough St. IP3 —1B 16 & 5H 3
Plover Rd. IP2 —3D 14
Plymouth Rd. IP11 —5E 21
Pollard Ct. IP2 —3C 14
Pond Clo. IP11 —6C 20
Poole Clo. IP3 —2G 17
Poplar La. IP8 —2A 14
Poppy Clo. IP2 —1E 15
Portal Av. IP5 —2H 13
Porter Rd. IP3 —4A 18
Portland Cres. IP12 —4C 6
Portman Rd. IP1 —5G 9 & 2B 2
Portman's Wlk. IP1 —6F 9
Port of Felixstowe Rd. IP11
  —1B 22
Post Hill Clo. IP4 —5C 10
Post Office La. IP12 —6A 6
Pound La. IP8 —6A 14
Powling Rd. IP3 —3D 16
Prentices La. IP12 —2B 6
Preston Dri. IP1 —1E 9
Prestwick Av. IP11 —5H 21
Prettyman Rd. IP3 —2E 17
Pretyman Rd. IP11 —4D 22
Primrose Hill. IP2 —1E 15
Princedale Clo. IP1 —2F 9
Prince of Wales Dri. IP2 —3F 15
Princes Gdns. IP11 —1E 23
Princes Rd. IP1 —2E 23
Princes St. IP1 —1G 15 & 5A 2
Princethorpe Rd. IP3 —1F 17
Priory Rd. IP1 —6H 21
Prittlewell Clo. IP2 —4E 15
Prospect Rd. IP1 —5F 9
Prospect St. IP1 —5F 9
Providence La. IP1 —4F 9
Providence St. IP1
  —5H 9 & 2C 2
Punchard Way. IP10 —3B 20
Purdis Av. IP3 —4A 18
Purdis Farm La. IP3 & IP10
  —3H 17
Purplett St. IP2 —1A 16 & 6E 3
Pytches Clo. IP12 —2F 7

Pytches Rd. IP12 —2E 7

Quadling St. IP1 —6G 9 & 4B 2
Quadrangle Cen., The. IP3
—4F 17
Quantock Clo. IP5 —4A 12
Quay Side. IP12 —4E 7
Quay St. IP12 —4E 7
Quebec Dri. IP5 —3C 12
Queens Av. IP12 —4C 6
Queensberry Rd. IP3 —4D 16
Queenscliffe Rd. IP2 —2F 15
Queensdale Clo. IP1 —2G 9
Queensgate Dri. IP4 —3C 10
Queen's Head La. IP12 —3D 6
Queen's Rd. IP12 —1F 23
Queen's Sq. IP3 —3E 17
Queen St. IP1 —6H 9 & 3C 2
Queen St. IP1 —6D 20
Queen's Way. IP3 —3E 17
Quentin Clo. IP1 —3D 8
Quilter Dri. IP2 —4B 14
Quilter Rd. IP11 —1G 23
Quinton's La. IP11 —5G 21
(in three parts)
Quoits Field. IP6 —1B 4

Radcliffe Dri. IP2 —3B 14
Raeburn Rd. IP3 —4C 16
Raeburn Rd. S. IP3 —5B 16
Ramsey Clo. IP2 —4F 15
Ramsgate Dri. IP3 —2E 17
Randall Clo. IP5 —4F 13
Rands Way. IP3 —3E 17
Randwell Clo. IP4 —6E 11
Ranelagh Rd. IP2 —6E 9
Ranelagh Rd. IP11 —1F 23
Ransome Cres. IP3 —3E 17
Ransome Rd. IP3 —3E 17
Ransomes Europark. IP3 —5H 17
Ransomes Ind. Pk. IP3 —5H 17
Ransomes Way. IP3 —5G 17
Ransom Rd. IP12 —2C 6
Ravensfield Rd. IP1 —2D 8
Ravens La. IP8 —1A 8
Rayleigh Rd. IP1 —2D 8
Reading Rd. IP4 —4E 11
Recreation Clo. IP11 —5E 21
Recreation La. IP11 —5E 21
Recreation Way. IP3 —3F 17
Rectory Rd. IP2 —2H 15
Redan St. IP1 —4G 9
Rede La. IP6 —1E 5
Red Ho. Clo. IP10 —1A 20
Redland Way. IP11 —6C 20
Redwing Clo. IP2 —2C 14
Reeve Gdns. IP5 —4D 12
Regent St. IP4 —6B 10 & 3G 3
Regina Clo. IP4 —6E 11
Reigate Clo. IP3 —2E 17
Rendlesham Ct. IP1 —4F 9
(off Beaufort St.)
Rendlesham Rd. IP1 —4F 9
Rendlesham Rd. IP11 —6C 20
Renfrew Rd. IP4 —3E 11
Rentwell Clo. IP4 —1B 18
Reynolds Av. IP3 —5D 16
Reynolds Ct. IP11 —6C 20
Reynolds Rd. IP3 —4D 16
Riby Rd. IP11 —2E 23
Richmond Rd. IP1 —4E 9
Ringham Rd. IP4 —5D 10
Risby Clo. IP1 —3D 8
Ritabrook Rd. IP2 —4D 14
Riverside Ind. Pk. IP2 —2A 16
Riverside Rd. IP1 —4E 9

Rivers St. IP4 —4C 10
Riverview. IP12 —1G 7
Robeck Rd. IP3 —4B 16
Robin Dri. IP2 —2C 14
Rodney Ct. IP12 —1D 6
Rogers Clo. IP11 —5E 21
Roman Way. IP11 —2G 21
Romney Rd. IP3 —5D 16
Roper Ct. IP3 —6F 11
Ropes Dri. IP5 —3E 13
Rope Wlk. IP4 —6A 10 & 3F 3
Roseberry Rd. IP11 —1G 23
Rosebery Ct. IP11 —3E 23
Rosebery Rd. IP4 —6C 10
Rosecroft Rd. IP1 —1F 9
Rosehill Cres. IP3 —1C 16
Rosehill Rd. IP3 —1C 16
Rose La. IP1 —6H 9 & 4D 2
Rosemary Av. IP11 —5G 21
Rosemary La. IP4 —6H 9 & 3D 2
Ross Rd. IP4 —2E 11
Roundwood Rd. IP4 —4D 10
Routh Av. IP3 —4A 18
Rowanhayes Clo. IP2 —2G 15
Rowarth Av. IP5 —4D 12
Rowland Ho. IP11 —6C 20
Roxburgh Rd. IP4 —2E 11
Roy Av. IP3 —6E 11
Roy Clo. IP5 —4C 12
Royston Dri. IP2 —3C 14
Rubens Rd. IP3 —4D 16
Rudlands. IP2 —4B 14
Runnacles Way. IP11 —6C 20
Rushbury Clo. IP4 —3E 11
Rush Ct. IP5 —3F 13
Rushmeadow Way. IP11 —1G 21
Rushmere Rd. IP4 —4D 10
Rushmere St. IP5 —3G 11
Ruskin Rd. IP4 —6C 10
Russell Ct. IP11 —4D 22
Russell Rd. IP1 —6G 9 & 4A 2
Russell Rd. IP11 —3E 23
Rydal Av. IP11 —1G 21
Rydal Wlk. IP3 —3F 17
Rye Clo. IP3 —1G 17

Saddlers Pl. IP5 —4H 13
Sagehayes. IP2 —2G 15
St Agnes Way. IP5 —5A 12
St Andrew's Clo. IP4 —6G 11
St Andrew's Clo. IP12 —1H 7
St Andrew's Pl. IP12 —1G 7
St Andrew's Rd. IP11 —6F 21
St Annes Clo. IP12 —5B 6
St Aubyns Rd. IP4 —6D 10
St Augustine Rd. IP3 —1G 17
St Augustine's Gdns. IP3 —2F 17
St Austell Clo. IP5 —5B 12
St Catherine's Ct. IP2 —4D 14
St Clements Chu. La. IP4
—6A 10 & 4F 3
St David's Rd. IP3 —2E 17
St Edmunds Clo. IP12 —4C 6
St Edmund's Pl. IP1 —3H 9
St Edmund's Rd. IP1 —3G 9
St Edmunds Rd. IP11 —3D 22
St George's Rd. IP11 —5H 21
St Georges St. IP1 —5H 9 & 1C 2
St Helen's Chu. La. IP4
—5B 10 & 2G 3
St Helen's St. IP4
—5A 10 & 2E 3
St Isidores. IP5 —4F 13
St Ives Clo. IP5 —5B 12
St John's Ct. IP4 —5E 11
St John's Hill. IP12 —3E 7
St John's Rd. IP4 —5D 10

St John's St. IP12 —3E 7
St John's Ter. IP12 —3E 7
St Lawrence Grn. IP5 —3C 12
St Lawrence St. IP1
—5H 9 & 2D 2
St Lawrence Way. IP5 —3C 12
St Leonard's Rd. IP3 —2E 17
St Margarets Grn. IP4
—5A 10 & 1E 3
St Margaret's St. IP4
—5A 10 & 1E 3
St Martins Grn. IP10 —1A 20
St Mary's Clo. IP8 —2A 8
St Mary's Clo. IP10 —4A 20
St Mary's Ct. IP1 —5H 9 & 2C 2
(off Museum St.)
St Mary's Cres. IP11 —5E 21
St Marys Pk. IP10 —5H 19
St Matthew's Chu. La. IP1
(off Portman Rd.) —5G 9 & 1B 2
St Matthew's Pl. IP1
—5G 9 & 1A 2
St Matthew's St. IP1
—5G 9 & 1B 2
St Michael's Clo. IP5 —5B 12
St Nicholas St. IP1 —6H 9 & 3C 2
St Olaves Rd. IP5 —3D 12
St Osyth Clo. IP2 —5E 15
St Peter's Av. IP6 —1B 4
St Peter's Clo. IP6 —1A 4
St Peter's Clo. IP12 —5B 6
St Peter's Ct. IP6 —1B 4
St Peter's Dock. IP3
(off Foundry La.) —6H 9 & 4D 2
St Peter's St. IP1 —6H 9 & 3D 2
St Raphael Ct. IP1 —2E 9
St Stephens Chu. La. IP1
—6H 9 & 3D 2
(off St Stephens La.)
St Stephen's La. IP1
(in two parts) —5H 9 & 2D 2
Salehurst Rd. IP3 —2H 17
Salisbury Rd. IP3 —1D 16
Sallows Clo. IP1 —4E 9
Salthouse La. IP4
—6A 10 & 4E 3
Salthouse St. IP4 —6A 10 & 4F 3
Samford Pl. IP8 —5A 8
Samuel Ct. IP4 —5A 10 & 1F 3
Sandhurst Av. IP3 —1C 16
Sandlings, The. IP3 —4H 17
Sandown Clo. IP1 —6F 5
Sandown Rd. IP1 —6F 5
Sandpiper Rd. IP2 —3D 14
Sandpit Clo. IP4 —6A 12
Sandringham Clo. IP2 —3E 15
Sandy Clo. IP10 —1A 20
Sandyhill La. IP3 —3B 16
Sandy La. IP12 —6A 6
Sawston Clo. IP2 —3F 15
Saxon Clo. IP11 —2G 21
Saxon Way. IP12 —1E 7
Schneider Clo. IP11 —5C 22
Schreiber Rd. IP4 —4E 11
Scopes Rd. IP5 —3D 12
Scott Rd. IP3 —4E 17
Scrivener Dri. IP2 —3A 14
Sea Rd. IP11 —4D 22
Seaton Rd. IP11 —6D 20
Seckford Hall Rd. IP13 & IP12
—5A 6
Seckford St. IP12 —3D 6
Seckford Ter. IP12 —3D 6
Second Av. IP10 —4A 20
Selkirk Rd. IP4 —3E 11
Selvale Way. IP11 —1D 22
Selwyn Clo. IP2 —1H 15 & 6C 2
Serpentine Rd. IP3 —3E 17

Seven Cotts. IP5 —2F 11
Seven Cotts. La. IP5 —2F 11
Severn Rd. IP3 —2C 16
Sewell Wonter Clo. IP5 —3D 12
Seymour Rd. IP2
—1H 15 & 6D 2
Shackleton Rd. IP3 —2E 17
Shackleton Sq. IP3 —2E 17
Shaftesbury Sq. IP4
—6A 10 & 3F 3
Shafto Rd. IP1 —3D 8
Shakespeare Rd. IP1 —5D 4
Shamrock Av. IP2 —1D 14
Shamrock Ho. IP1 —1C 8
Shannon Rd. IP3 —5D 16
Sheldrake Dri. IP2 —4C 14
Shelley St. IP2 —1H 15 & 6D 2
Shenley Rd. IP3 —4E 17
Shenstone Dri. IP1 —6F 5
Shepherd Dri. IP2 —3B 14
Sheppards Way. IP5 —4E 13
Sherborne Av. IP4 —1D 10
Sherrington Rd. IP1 —3F 9
Sherwood Fields. IP5 —4D 12
Shetland Clo. IP4 —2D 10
Ship La. IP8 —2A 8
Ship Launch Rd. IP3 —2A 16
Ship Meadow Wlk. IP12 —3E 7
Shire Hall Yd. IP4
—6A 10 & 3E 3
Shirley Clo. IP1 —6F 5
Shortlands. IP2 —4C 14
Shotley Clo. IP2 —3B 14
Shotley Clo. IP11 —1C 22
Shrubbery Rd. IP13 —1A 6
Shrubland Av. IP1 —2D 8
Sidegate Av. IP4 —3D 10
Sidegate La. IP4 —2D 10
Sidegate La. W. IP4 —2C 10
Silent St. IP1 —6H 9 & 3D 2
Silverdale Clo. IP1 —2F 9
Simons Rd. IP12 —1E 7
Simpson Clo. IP3 —4C 16
Sirdar Rd. IP1 —5F 9
Slade St. IP4 —6A 10 & 4E 3
Slade, The. IP6 —1C 4
Sleaford Clo. IP2 —2F 15
Smart St. IP4 —6A 10 & 4E 3
Smithfield. IP12 —2F 7
Smiths Pl. IP5 —4E 13
Snells La. IP11 —4F 21
Snowdon Rd. IP2 —3G 15
Snow Hill Steps. IP11 —2E 23
(off Undercliff Rd. W.)
Soane St. IP4 —5A 10 & 1E 3
Somerset Rd. IP4 —3C 10
Sorrel Clo. IP2 —2E 15
Sorrell Wlk. IP5 —4G 13
South Clo. IP4 —3B 10
Southgate Rd. IP2 —4A 14
South Hill. IP11 —2E 23
South St. IP1 —4G 9
Speedwell Rd. IP2 —1E 15
Spenser Rd. IP1 —6D 4
Spinner Clo. IP1 —3C 8
Spinney, The. IP4 —1A 18
Springfield Av. IP11 —6F 21
Springfield La. IP1 —3E 9
Springhurst Clo. IP4 —5D 10
Springland Clo. IP4 —5D 10
Spring Rd. IP4 —5B 10 & 2H 3
Sprites End. IP10 —4C 20
Spriteshall La. IP11 —4C 20
Sprites La. IP2 —3B 14
Sproughton Rd. IP8 & IP1 —4A 8
Spur End. IP12 —1G 7
Square, The. IP5 —4H 13
Squires La. IP5 —3H 13

Stable Ct. IP5 —3H 13
Stamford Clo. IP2 —5E 15
Stanley Av. IP3 —1D 16
Stanley Cotts. IP11 —6D 20
Stanley Rd. IP7 —2F 23
Starfield Clo. IP4 —5E 11
Star La. IP4 —6H 9 & 4D 2
Station App. IP11 —6F 21
Station Rd. IP2 —1G 15 & 5A 2
Station Rd. IP8 & IP6 —1A 4
Station Rd. IP10 —4B 20
Station Rd. IP12 —1G 7
  (Melton)
Station Rd. IP12 —4E 7
  (Woodbridge)
Station St. IP2 —2H 15
Stella Maris. IP2 —6C 8
Stennetts Clo. IP10 —3A 20
Stephen Rd. IP5 —3F 13
Stevenson Rd. IP1 —5G 9 & 1A 2
Stewart Young Gro. IP5 —4E 13
Stokebridge Maltings. IP2
  —1H 15 & 5D 2
Stoke Hall Rd. IP2
  —1H 15 & 5C 2
Stoke Pk. Dri. IP2 —5E 15
Stoke Pk. Gdns. IP2 —4F 15
Stoke St. IP2 —1H 15 & 5D 2
Stollery Clo. IP5 —4D 12
Stonechat Rd. IP2 —3B 14
Stonegrove Rd. IP11 —4C 22
Stone Lodge La. IP2 —2F 15
Stone Lodge La. W. IP2 —2E 15
Stone Lodge Wlk. IP2 —2G 15
Stone Pl. IP12 —3E 7
Stopford Ct. IP1 —4F 9
Stour Av. IP11 —2D 22
Stradbroke Rd. IP4 —4D 10
Straight Rd. IP10 —5D 18
Strand, The. IP2 —6A 16
Stratford Rd. IP1 —1E 9
Street Farm Clo. IP10 —5H 19
Street, The. IP8 —1A 8
Street, The. IP12 —1G 7
  (Melton)
Street, The. IP12 —6A 6
  (Woodbridge)
Stuart Clo. IP4 —4C 10
Stuart Clo. IP11 —1G 21
Stubbs Clo. IP3 —4D 16
Sturdee Av. IP3 —2E 17
Sub-Station IP11 —3C 22
Sudbourne Rd. IP11 —6C 20
Sudbury Rd. IP11 —1B 22
Suffolk Retail Pk. IP1 —5F 9
Suffolk Rd. IP4 —4A 10
Summerfield Clo. IP4 —3G 11
Sunderland Rd. IP11 —5C 22
Sunfield Clo. IP4 —5E 11
Sun La. IP12 —3E 7
Sunningdale Av. IP4 —6G 11
Sunningdale Dri. IP11 —5G 21
Sunray Av. IP11 —5G 21
Surbiton Rd. IP1 —3E 9
Surrey Rd. IP1 —5F 9
Surrey Rd. IP11 —1E 23
Sutton Clo. IP12 —3F 7
Swallow Clo. IP11 —4H 21
Swallow Rd. IP2 —2B 14
Swan Clo. IP5 —4H 13
Swansea Av. IP4 —4G 15
Swatchway Clo. IP3 —6E 17
Swinburne Rd. IP1 —6D 4
Swinton Clo. IP2 —4C 14
Sycamore Clo. IP2 —4B 14

Tacket St. IP4 —6A 10 & 3E 3

Tacon Rd. IP11 —4D 22
Tallboy Clo. IP5 —3D 12
Tannery Cotts. IP1 —4E 9
Tanyard Ct. IP12 —4E 7
Tarn Hows Clo. IP11 —2G 21
Tasmania Rd. IP4 —5G 11
Taunton Clo. IP1 —5G 5
Taunton Rd. IP11 —5E 21
Tavern St. IP1 —5H 9 & 2D 2
Teal Clo. IP2 —2C 14
Temple Rd. IP3 —1F 17
Tenby Rd. IP2 —4G 15
Tennyson Clo. IP12 —2C 6
Tennyson Rd. IP4 —6C 10
Tenth Rd. IP10 —6H 19
Tern Rd. IP2 —3D 14
Thackeray Rd. IP1 —6E 5
Thanet Rd. IP4 —5E 11
Theatre St. IP12 —3D 6
Theberton Rd. IP3 —4E 17
Thetford Rd. IP1 —4F 9
Thirling Ct. IP5 —5H 13
Thirlmere Ct. IP11 —2G 21
Thistle Clo. IP2 —1E 15
Thomas Av. IP10 —3B 20
Thompson Rd. IP1 —3E 9
Thornhayes Clo. IP2 —2F 15
Thornley Dri. IP4 —3F 11
Thornley Rd. IP11 —1H 23
Thorn Way. IP11 —1D 22
Thoroughfare. IP12 —3E 7
Through Duncans. IP4 —4C 6
Through Jollys. IP5 —3E 13
Thurleston La. IP1 —4E 5
Thurmans. La. IP10 —3A 20
Thurston Ct. IP11 —2B 22
Tide Mill Way. IP12 —4F 7
Tinabrook Clo. IP2 —4D 14
Tintern Clo. IP2 —3F 15
Tokio Rd. IP4 —5D 10
Toller Rd. IP3 —2B 16
Tolworth Rd. IP4 —5D 10
Tomline Ho. IP11 —5B 22
Tomline Rd. IP3 —6D 10
Tomline Rd. IP11 —2F 23
Tooley's Ct. IP4 —6A 10 & 4E 3
  (off Shire Hall Yd.)
Top St. IP12 —6A 6
Tovell's Rd. IP4 —5C 10
Tower Chu. Yd. IP1
  (off Tower St.) —5H 9 & 2D 2
Tower Mill Rd. IP1 —4E 9
Tower Ramparts. IP1
  —5H 9 & 2C 2
Tower Ramparts Cen. IP1
  —5H 9 & 2D 2
Tower Rd. IP11 —2E 23
Tower St. IP1 —5H 9 & 2D 2
Trafalgar Clo. IP4 —5C 10
Tranmere Gro. IP1 —1E 9
Treetops. IP11 —4D 20
Trefoil Clo. IP2 —1E 15
Trelawny Ho. IP11 —4C 22
Trent Rd. IP3 —3C 16
Trevose. IP11 —1G 23
Trinity Av. IP11 —2A 22
Trinity Clo. IP5 —4A 12
Trinity Clo. IP12 —5B 6
Trinity Ind. Est. IP11 —3B 22
Trinity St. IP3 —1B 16 & 5H 3
Troon Gdns. IP4 —2E 11
Truro Cres. IP5 —5B 12
Tuddenham Av. IP4 —4B 10
Tuddenham La. IP5 —1E 11
Tuddenham Rd. IP4 —4A 10
Tudor Pl. IP4 —5A 10 & 2E 3
Turin St. IP2 —1H 15 & 6D 2
Turner Gro. IP5 —3E 13

Turner Rd. IP3 —5D 16
Turn La. IP12 —4E 7
Turnpike Rd. IP12 —2F 7
Turret Grn. Ct. IP1
  —6H 9 & 3D 2
Turret La. IP4 —6H 9 & 4D 2
Twelve Acre App. IP5 —4C 12
Tylers Grn. IP10 —4B 20
Tyler St. IP2 —1A 16 & 6E 3
Tymmes Pl. IP13 —1A 6
Tyrone Clo. IP1 —1C 8

Ullswater Av. IP11 —1G 21
Ulster Av. IP1 —2C 8
Undercliff Rd. E. IP11 —1H 23
Undercliff Rd. W. IP11 —2E 23
Union St. IP4 —5A 10 & 2E 3
Unity St. IP3 —1B 16 & 5H 3
Upland Rd. IP4 —5D 10
Up. Barclay St. IP4
  —6A 10 & 3E 3
Up. Brook St. IP4 —5H 9 & 2D 2
Up. Cavendish St. IP3 —6D 10
Upperfield Dri. IP11 —5H 21
Up. High St. IP1 —4H 9
Up. Moorfield Rd. IP12 —2D 6
Up. Orwell Courts. IP4
  —6A 10 & 3E 3
Up. Orwell St. IP4
  —6A 10 & 3E 3
Upsons Way. IP5 —3F 13
Upton Clo. IP4 —5B 10 & 2H 3
Uxbridge Cres. IP3 —4F 17

Valiant Rd. IP5 —4H 13
Valley Clo. IP1 —2H 9
Valley Clo. IP12 —3E 7
Valley Farm Rd. IP12 —1F 7
Valley Rd. IP1 & IP4 —4F 9
Valleyview Dri. IP4 —1A 18
Valley Wlk. IP11 —1D 22
Vandyck Rd. IP3 —5D 16
Vaughan St. IP2 —1H 15 & 6D 2
Ventris Clo. IP2 —6C 8
Vere Gdns. IP1 —1H 9
Vermont Cres. IP4 —4A 10
Vermont Rd. IP4 —4A 10
Vernon St. IP2 —1H 15 & 5D 2
Vicarage Clo. IP8 —2A 8
Vicarage Hill. IP12 —3E 7
Vicarage La. IP8 —2A 8
Vicarage Rd. IP11 —1C 22
Victoria Rd. IP11 —2E 23
Victoria Rd. IP12 —3E 7
Victoria St. IP1 —5F 9
Victoria St. IP11 —1F 23
Victory Rd. IP4 —4D 10
View Point Rd. IP11 —6B 22
Vincent Clo. IP1 —3D 8
Vinnicombe Ct. IP2 —4D 14
Violet Clo. IP2 —1E 15

Wadgate Rd. IP11 —1D 22
Wadhurst Rd. IP3 —2G 17
Wainwright Way. IP5 —3E 13
Walker Clo. IP3 —6F 11
Walk, The. IP1 —5H 9 & 2D 2
  (off Butter Mkt.)
Walk, The. IP5 —3C 12
Walk, The. IP11 —5D 20
  (in two parts)
Wallace Rd. IP1 —3D 8
Wallers Gro. IP2 —1E 15
Walnut Clo. IP11 —1G 21
Walnut Tree Clo. IP8 —1A 8

Waltham Clo. IP2 —3F 15
Walton Av. IP11 —2A 22
Walton Ho. IP1 —5F 9
  (off Emlen St.)
Wardley Clo. IP2 —4C 14
Ward Rd. IP2 —4A 14
Wareham Av. IP3 —2G 17
Warren Heath Av. IP3 —3G 17
Warren Heath Rd. IP3 —3G 17
Warren Hill Rd. IP12 —4C 6
Warren La. IP5 —4H 13
Warrington Rd. IP1 —4G 9
Warwick Av. IP12 —2D 6
Warwick Rd. IP4 —5B 10 & 1H 3
Waterford Rd. IP1 —2C 8
Waterloo Ho. IP1 —5H 9 & 2C 2
  (off Tavern St.)
Waterloo Rd. IP1 —4F 9
Waterworks St. IP4
  —6A 10 & 3F 3
Watts Ct. IP4 —6A 10 & 3E 3
Waveney Rd. IP1 —3D 8
Waveney Rd. IP11 —2D 22
Weaver Clo. IP1 —3C 8
Webb St. IP2 —2H 15
Welbeck Clo. IP10 —4B 20
Wellesley Rd. IP4 —6C 10
Wellington Ct. IP1 —4F 9
  (off Wellington St.)
Wellington Ct. IP11 —1H 23
  (off Undercliff Rd. E.)
Wellington St. IP1 —4F 9
Wells Clo. IP4 —5B 10 & 2G 3
Wentworth Dri. IP2 —3B 14
Wentworth Dri. IP11 —5H 21
Wesel Av. IP11 —1C 22
Westbourne Rd. IP1 —2E 9
Westbury Rd. IP4 —3E 11
West End Rd. IP1 —6F 9
Westerfield Ho. Cotts. IP4
  —1D 10
Westerfield Rd. IP4 & IP6
  —4A 10
Western Av. IP11 —2G 21
Western Clo. IP4 —1A 18
Westgate St. IP1 —5H 9 & 2C 2
Westholme Clo. IP12 —4D 6
Westholme Rd. IP1 —2F 9
Westlands. IP5 —4H 13
W. Lawn. IP4 —3E 11
Westleton Way. IP11 —6C 20
W. Meadows. IP1 —5B 4
Westminster Clo. IP4 —6E 11
Westmorland Rd. IP11 —1G 21
Westwood Av. IP1 —5F 9
Wetherby Clo. IP1 —6G 5
Wexford Rd. IP1 —1C 8
Weymouth Rd. IP4 —5C 10
Wharfedale Rd. IP1 —2F 9
Wheelwrights, The. IP10 —3B 20
Wherstead Rd. IP2 —5H 15
Whinchat Clo. IP2 —2C 14
Whinfield. IP5 —3G 13
Whinfield Ct. IP5 —4H 13
Whinneys, The. IP5 —3E 13
Whinyard Way. IP11 —1G 21
Whitby Rd. IP4 —3C 10
White Elm St. IP3
  —1B 16 & 5H 3
White Horse Ct. IP11 —5H 21
Whitehouse Ind. Est. IP1 —6B 4
White Ho. Rd. IP1 —6B 4
Whitethorn Rd. IP3 —4A 18
Whitland Clo. IP2 —5F 15
Whittle Rd. IP2 —5E 9
Whitton Chu. La. IP1 —5D 4
Whitton Clo. IP1 —5C 4
Whitton La. IP1 —5C 4
Whitton Leyer. IP8 —1B 8